FANTASÍA PROHIBIDA

MAISEY YATES

Editado por Harlequin Ibérica.
Una división de HarperCollins Ibérica, S.A.
Núñez de Balboa, 56
28001 Madrid

I.S.B.N.: 978-84-687-8506-6
Depósito legal: M-24685-2016
Impresión en CPI (Barcelona)
Fecha impresion para Argentina: 17.4.17
Distribuidor exclusivo para España: LOGISTA
Distribuidores para México: CODIPLYRSA y Despacho Flores
Distribuidores para Argentina: Interior, DGP, S.A. Alvarado 2118.
Cap. Fed./Buenos Aires y Gran Buenos Aires, VACCARO HNOS.

Capítulo 1

EN OCASIONES, Elle St. James imaginaba que le clavaba un bolígrafo en el pecho a Apollo Savas. Por supuesto, no con intención de matarlo. Era un hombre sin corazón, así que la herida no podría ser mortal. Solo tenía intención de hacerle daño.

Otras veces fantaseaba con cruzar la sala de reuniones, desatarle la corbata y abrirle de golpe la camisa para acariciar su piel y sentir su torso musculoso con las manos. Por fin, tras nueve largos años resistiéndose a él y a la ola de deseo que la invadía por dentro cada vez que sus miradas se encontraban.

Esa fantasía era mucho más inquietante que la de clavarle un bolígrafo en el pecho.

Y también era demasiado frecuente.

Estaban sentados en una reunión y Elle debería estar prestando atención, pero en lo único que podía pensar era en lo que haría si pudiera pasar cinco minutos con él a solas tras una puerta cerrada con llave.

Sería un encuentro violento o terminarían desnudándose.

Él estaba hablando de presupuestos y recortes, y ella odiaba esas palabras. Significaba que su equipo volvería a salir perjudicado. Se repetiría la historia de los últimos doce meses, desde que él la segregó de la empresa de su padre. Una empresa que a continuación entró en bancarrota.

Otro momento más en la larga lista de cosas que Apollo había hecho para intentar hundirla.

Finalmente su padre se había visto obligado a darle una responsabilidad, puesto que su hijastro había demostrado ser una víbora.

La habían nombrado directora ejecutiva. Y entonces apareció Apollo para estropearlo todo.

Él había tenido la culpa. Al menos en parte. Nada podría convencerla de otra cosa.

Elle tenía un plan. Un plan que, al parecer él tenía intención de truncar. Sabía que podría rescatar a *Matte* sin tener que realizar cambios constantes en la plantilla de empleados, pero él no estaba dispuesto a darle la oportunidad.

Porque, como siempre, su objetivo era hundirla. Demostrarle que él era el mejor.

Sin embargo, eso no evitó que Elle se fijara en sus manos mientras gesticulaba y se preguntara cómo sería sentir sus caricias sobre la piel.

Todo lo que Elle sabía acerca del sexo cabía escrito en una servilleta. Y lo más triste era que serían dos palabras.

Apollo Savas.

Para ella, Apollo había sido el equivalente a la palabra sexo desde el momento en que comprendió lo que significaba.

Aquel hombre de cabello y ojos oscuros era hijo de la mujer con la que se había casado el padre de Elle cuando ella tenía catorce años. Le resultó fascinante, aunque era muy distinto a ella porque pertenecía a una clase social con la que Elle nunca había tenido contacto. Antes de casarse con el padre de Elle, la madre de Apollo había trabajado como doncella. El contraste cultural había sido muy intenso. Y muy, muy interesante.

Sin embargo, a partir de aquel momento Apollo se convirtió en el hombre sin corazón que había traicionado a la familia de Elle y había intentado pisotearla.

Aun así, ella lo deseaba.

El lobo malo del mundo de los negocios que aullaba y pisoteaba sueños.

—¿No está de acuerdo, señorita St. James?

Ella levantó la vista y miró a Apollo con el corazón acelerado. Lo último que deseaba era admitir que no había oído lo que estaba diciendo. Prefería reconocer que soñaba con asesinarlo.

—Tendrá que repetir la pregunta, señor Savas. Mi capacidad de atención a lo repetitivo no es infinita. Es el mismo discurso que lleva pronunciando desde hace meses, y no ha sido más lógico ni efectivo que el de la última vez.

Apollo se puso en pie. Elle vio en su mirada que tendría que pagar por sus palabras. La idea hizo que se estremeciera. El miedo se mezcló con un potente deseo.

—Siento que me encuentre aburrido. Intentaré volverme más interesante. Estaba hablando de que para que una empresa sea exitosa debe fluir. Tiene que estar bien engrasada. Todos los empleados han de funcionar a plena capacidad. Lo que no rinden sobran. Los vagos también sobran. Intentaba ser delicado con mi metáfora —comenzó a caminar hacia el otro lado de la sala, y todo el mundo se enderezaba cuando pasaba por detrás de ellos—. Quizá habría captado mejor su atención diciéndole que si descubro que una parte de su empresa no funciona a óptima capacidad, comenzaré a deshacerme de sus empleados como si fueran maleza seca.

Elle sentía que le ardía el rostro y que el corazón le

latía con más fuerza. Cerró los puños para evitar que le temblaran las manos.

—En esta empresa, todos...

—Estoy seguro de que su discurso va a ser inspirador y muy emotivo, pero quizá debería ahorrarse la saliva, señorita St. James. Puede decir lo que quiera, pero yo he visto las cifras. Convicción no es igual a beneficios. Revisaré todo atentamente y haré los recortes que considere necesarios. Dicho esto, creo que la reunión ha terminado. Al parecer la señorita St. James tiene muy poca tolerancia a mi cháchara. Si al resto de ustedes les pasa lo mismo, se alegrarán de poder marcharse.

El grupo de personas que se levantó para salir de la sala hizo que Elle pensara en una manada de gacelas escapando de un león.

Un león grande y aburrido que no pretendía más que asustarlos mostrando sus colmillos. No pensaba perseguirlos todavía.

No, de momento solo había pasado a centrarse en ella.

—Estás en baja forma hoy, Elle.

—Estoy exactamente como debo estar, Apollo —dijo ella, tuteándolo también.

Al fin y al cabo eran familia.

Aunque ella nunca lo había considerado su hermano. Era una fantasía sexual que no quería tener. Su mayor competidor. Su peor enemigo. Eso era él, pero no un hermano.

—Tu empresa me pertenece —le dijo Apollo—. Tú me perteneces. Y no parece que me tengas ningún miedo.

Esas palabras la herían.

—Los líderes de verdad no gobiernan con puño de acero —dijo ella—. Saben que el respeto no se gana intimidando.

Elle sabía que no debía contestarle, pero nunca era capaz de controlarse. Se conocían desde hacía demasiado tiempo. Habían pasado muchos años en la misma casa.

Y ella había pasado demasiados años despellejándolo cuando sentía que tenía ventaja. Al fin y al cabo era la hija biológica de su padre, la que tenía derecho a vivir en aquella mansión.

No obstante, las cosas habían cambiado.

—Eso es lo que dice la mujer que ya no tiene poder para ejercer el liderazgo —sonrió él.

Elle no huiría. No, no lo haría. Ella no era una gacela.

—Sí que lo tengo y puedo ejercerlo. Mientras *Matte* sea una entidad que opera de manera independiente bajo el paraguas de tu gran corporación, estoy aquí para dirigirla lo mejor posible y para apoyar a mis empleados. Y te proporcionaré la información que no puedes obtener de informes impresos.

Apollo se giró para salir de la sala.

—Un informe que lo reduce todo a estadísticas no puede ser definitivo —insistió Elle.

—Ahí es donde te equivocas —dijo él, acelerando el paso.

Elle tuvo que correr tras él hacia el pasillo.

—No soy yo la que se equivoca. El informe no contempla todos los datos. No permite saber cómo funciona la empresa en realidad. O qué aporta cada empleado al proceso creativo. *Matte* no es solo una revista. Es una línea de cosméticos, una marca de moda. Tenemos libros y...

—Sí —dijo él, antes de entrar en el ascensor—. Gracias, conozco muy bien cómo funcionan mis empresas.

–Entonces deberías saber que pretendo poner en práctica estrategias que requieren a todos los empleados que tengo. Iniciativas que se tardan en poner en marcha, pero que lanzarán la marca mundialmente.

–Sí. Eso me dijiste la última vez que nos vimos. A diferencia de ti, yo no me quedo dormido en las reuniones.

Elle entró en el ascensor con él.

–No me he quedado dormida –gruñó.

Apollo pulsó el botón para bajar al recibidor y las puertas se cerraron. Entonces la miró fijamente. De pronto era como si faltara aire.

–No, no creo que te hayas dormido, Elle –le dijo con voz muy suave–. Me mirabas de manera demasiado intensa como para estar en otro planeta. ¿En qué estabas pensando exactamente?

–En clavarte un bolígrafo en el pecho –dijo ella, sonriendo.

Porque no podía decir: *En arrancarte la ropa para comprobar si eres tan bueno como pareces en mis sueños.*

Apollo sonrió.

–Sabes que no podrías matarme así. Tendrías que cortarme la cabeza y enterrarla aparte de mi cuerpo.

–Se lo avisaré a los matones.

Cuando se abrieron las puertas, el recibidor estaba vacío. *Matte* compartía edificio con otros negocios y varios áticos. A esa hora no había mucho movimiento.

–¿Dónde te alojas, Apollo? –preguntó ella–. ¿En una tumba del centro de la ciudad?

–En la contigua a la tuya, Elle –respondió Apollo–. Tú primero.

Estiró el brazo haciéndole un gesto para que saliera del ascensor.

Elle atravesó el recibidor y salió por las puertas giratorias. Se detuvo en la acera, se puso las gafas de sol y permaneció allí, en medio de Manhattan, dando golpecitos con el pie.

Apollo salió momentos más tarde, se estiró la chaqueta y la miró un instante.

—¿Te importaría seguir gritándome mientras camino? —le preguntó él.

—No te estoy gritando. Solo te explico por qué tus métodos para manejar mi empresa son equivocados.

Él se volvió y comenzó a caminar.

—¡Apollo! Aún no hemos terminado con la reunión.

—Creí que la habíamos dado por terminada.

—La junta general —dijo ella—, pero nosotros no hemos acabado la nuestra.

—Me hospedo aquí —dijo Apollo señalando un hotel que estaba a dos portales de las oficinas de *Matte*—. Puesto que he venido a la ciudad para ocuparme de *Matte,* pensé que estaría bien alojarme cerca.

—Enhorabuena. Todo un detalle.

—Tengo mis momentos. Y a juzgar por el hecho de que soy multimillonario gracias a que conseguí absorber la empresa de tu padre, se ve que he tenido varios momentos buenos.

—Si fueras tan inteligente como crees escucharías mis planes para *Matte*. La respuesta no es reducirnos a la nada. Tienes que dejar que intente expandirla, si no moriremos de verdad.

—Estás dando por hecho que intento salvarte, querida Elle. Quizá solo quiero quitar el enchufe.

—Eres... Eres...

—Malvado. Un canalla. Lo que más te guste.

—Siempre has sido condenadamente competitivo, pero esto ya es demasiado.

–Das por hecho que esto es una competición.

–¿Qué más podría ser? Eres un desagradecido. Por todo lo que mi padre te dio. Y por el hecho de que no te lo diera todo.

Apollo soltó una carcajada.

–¿Te refieres a que no me dio su empresa, o *Matte,* en primer lugar? ¿Por qué crees que te la dio a ti, Elle? ¿Porque eras competente? No. Te dio el puesto para mantener un pie dentro de la empresa cuando yo la comprara.

Sus palabras fueron como una puñalada, aunque en realidad se lo imaginaba.

Por supuesto que lo había sospechado, pero el hecho de que Apollo lo supiera significaba que era evidente. Y quizá lo fuera para todo el mundo.

El portero abrió la puerta para dejarlos pasar y Apollo se detuvo para darle una propina. Elle abrió el bolso y sacó un dólar para entregárselo al hombre antes de seguir a Apollo.

No iba a permitir que él diera la propina por ella.

–Estoy en la suite del ático. Es muy bonita.

–No me sorprende nada que acabemos de salir de una reunión donde has hablado de hacer recortes en mi empresa y sin embargo te alojes en la suite del ático.

Apollo pulsó el botón del ascensor y se abrieron las puertas. Elle entró tras él.

–No necesito dinero, *agape,* por si creías que ese era el motivo por el que mencioné los recortes.

Agape. Elle odiaba aquel nombre. Apollo había empezado a llamarla así cuando estaba en secundaria. Solo para hacerla enfadar. Y cada vez que lo hacía lo grababa un poquito en su memoria. «Amor», ese era su significado.

Era ridículo.

–Entonces, ¿por qué has mencionado los recortes? –le preguntó con tono suave.

–Porque tú necesitas el dinero. *Matte* necesita dinero. En la era digital la revista impresa está en decadencia, y aunque has intentado competir con ideas innovadoras, no has conseguido mantenerte.

–Ya, pero si tú tienes suficiente...

–No me dedico a la caridad –se rio él–. Dirijo un negocio. Mi empresa obtiene beneficios. A eso me dedico, a ganar dinero, y estoy orgulloso de ello. Sin embargo, no continuaré si no mejoro mis recursos. Mejorar es un proceso duro y doloroso y conlleva despedir gente.

El ascensor se detuvo y Apollo salió al pasillo. Se dirigió a una puerta y la empujó para abrirla.

–Pasa.

Elle se sintió como una criatura vulnerable que entraba en la guarida de un depredador.

«No eres una gacela. Das el mismo miedo que él. Eres una leona».

Nada más entrar en la suite, Elle se fijó en las ventanas con vistas a Central Park. Había un salón espacioso con una barra de bar, y a la izquierda, una puerta abierta por la que se atisbaba un dormitorio con una cama enorme.

No pudo evitar imaginarse a Apollo, con lo alto que era, tumbado en ella y ocupándola entera. ¿Tendría un aspecto más relajado mientras dormía? ¿Parecería menos letal sin el traje negro que llevaba y que resaltaba cada músculo de su cuerpo?

Apollo cerró con fuerza la puerta de entrada y ella se sobresaltó.

–Mi equipo es el mejor que hay –comenzó a explicarle Elle–. Sus integrantes tienen las mejores mentes creativas del mercado. Tienes que admitir que las guías *Matte* han tenido mucho éxito. Y que la del maquillaje ha incrementado la venta de cosméticos. Era específica para la marca, y por eso...

–Una vez más me estás contando cosas que ya sé. No he llegado a este punto de mi vida por no prestar atención. Comprendo que tu equipo es importante para ti, pero si no hago lo que hay que hacer, si no llevo a cabo grandes recortes, ninguno de vosotros tendrá trabajo.

–Yo...

–Elle, me da la sensación de que crees que esto es una democracia. Puedes estar segura de que esto es una dictadura. No voy a negociar contigo. Y tu bonito trasero todavía continúa sentado en el despacho del Director Ejecutivo gracias a mi buen talante.

La furia se apoderó de Elle.

–Creí que se debía a que soy buena en mi trabajo.

–Lo eres –dijo él dando un paso hacia ella–, pero hay mucha gente que sería buena en tu trabajo. Gente que no consiguió el puesto gracias a su padre.

–Eso es ridículo, Apollo. Como si tú no hubieras conseguido cosas gracias a mi padre –dijo furiosa–. Mi padre te trató como a su propio hijo. Y tú se lo pagaste como Judas,

–Le compré por bastante más que treinta monedas de plata, muchachita. Quizá lo que en realidad te duele es que fuera tu padre y no yo quien te traicionara. Te puso en ese cargo a sabiendas de que fracasarías.

Elle apretó los dientes. Lo que Apollo le decía le abría viejas heridas. Nunca se había sentido a la altura de Apollo, el hijo que su padre siempre había deseado y él lo sabía.

Pero no iba a dejarle ganar tan fácilmente.

–Él confiaba en ti. Cuando le ofreciste ayuda, nunca pensó que ibas a desmontarlo todo.

–Se equivocó al confiar en mí.

–Sin duda. No solo traicionaste al hombre que te encaminó hacia el éxito, sino a tu propia madre.

–Mi madre está bien. Tu padre no está arruinado económicamente, así que ella sigue disfrutando de su estatus. Una vez más, Elle, te recuerdo que tu padre me vendió *Matte* y otras empresas por propia voluntad.

–Lo pusiste en una posición en la que no podía negarse.

Apollo dio otro paso hacia ella. Estaba tan cerca que ella pudo ver que sus ojos no eran completamente negros, sino que tenían un pequeño anillo de color marrón dorado. También pudo ver la barba incipiente de su rostro.

Podía percibir el aroma de su piel y de su loción de afeitar.

–Es interesante que lo expreses así. Si la estrechez económica te quita la posibilidad de escoger, se podría decir que mi madre no tuvo mucha elección a la hora de casarse con tu padre.

–Eso es ridículo –dijo Elle–. Tu madre quería casarse.

–¿De veras?

–Por supuesto.

–¿Una señora de la limpieza ante la oportunidad de llevar una vida de lujo después de haber pasado años ganándose la vida a duras penas en Estados Unidos y después de haber vivido en Grecia sumida en la pobreza?

–Eso no... Eso no tiene nada que ver con esto.

–Puede –dijo él–. O quizá, Elle, lo importante es

que uno siempre puede decir que no –se inclinó hacia delante–. Siempre.

Elle apenas podía respirar, sentía que todo su cuerpo estaba alerta y la cabeza le daba vueltas.

Recordaba muy bien que había experimentado la misma sensación cada vez que se cruzaba con Apollo por los pasillos de la casa familiar, o cuando le veía en la piscina. Su cuerpo musculoso fascinaba a la niña que ella era entonces.

Solo en una ocasión se habían acercado mucho el uno al otro. Solo una vez ella pensó que quizá Apollo sintiera el mismo deseo prohibido que ella había sentido desde el momento en que lo vio.

«Apollo va a ser tu hermanastro».

Todo su cuerpo se rebeló al instante ante la noticia porque sabía que cuando sus padres se casaran no estaría bien desearlo de aquella manera. Así que se distanció de él. Y algunas veces se había portado muy mal con él, pero lo había hecho para sobrevivir.

Con el tiempo todo fue a peor. Apollo seguía siendo su hermanastro, y aunque el cariño que había llegado a sentir por él se vio afectado por su traición, llevaba nueve años resistiéndose a él. Aprovechando la rabia y el enfado para emplearlos como barrera entre el deseo que sentía por Apollo y sus actos.

Ceder habría supuesto un fracaso en términos de autocontrol. Y para la relación con su padre. ¿Qué pensaría su padre si supiera que deseaba a Apollo? ¿Qué clase de escándalo surgiría si los medios de comunicación se enteraran de que se sentía intensamente atraída por su hermanastro?

Por eso no lo quería reconocer, y había tratado de guardarlo dentro de sí, pero el deseo resurgía cada vez que lo veía. Con cada mirada. Y cuando sus manos se rozaban de forma accidental. Y por la noche, cuando se acostaba anhelando algo que sólo él podía ofrecerle.

Apollo había comprado la empresa de su padre. Estaba apuntando hacia *Matte*. Su padre la había colocado como directora ejecutiva para mantener cierto tipo de relación con la empresa. Y ella había fracasado, tal y como había dicho Apollo...

Sentía que todo se le escapaba de las manos. La empresa. El control. Todo.

Y ni siquiera lo había besado. Nunca había poseído al hombre que le estaba destrozando la vida. El hombre que protagonizaba sus fantasías y provocaba que en ella aflorara el deseo más profundo

¿Y por qué? Para mantener las apariencias. Para triunfar. Sin embargo, estaba perdiendo. Completamente.

¿Por qué no disfrutar entonces de él?

Si todo estaba a punto de carbonizarse, ¿por qué no consumirse en las llamas?

Si al menos tuviera un bolígrafo en la mano... desde donde estaba le resultaría muy fácil clavárselo en el cuello, pero no lo tenía.

Así que a cambio estiró el brazo, le agarró el nudo de la corbata y se la deshizo.

Capítulo 2

APOLLO Savas no soñaba despierto. Era un hombre práctico y de acción. Cuando deseaba algo, no perdía el tiempo fantaseando, simplemente iba por ello.

Ese era el único motivo por el que sabía que no estaba alucinando cuando Elle St. James, su hermanastra y enemiga mortal, comenzó a quitarle la ropa mirándolo con rabia y deseo.

Se había resistido a aquello durante años. Y a ella. Por deferencia al hombre que consideraba su padre. Por respeto a todo lo que él le había dado.

Pero todo había resultado ser falso, una mentira. Y aun así, Apollo había mantenido a Elle separada de sus planes de venganza.

Y David St. James sabía que lo haría así, porque al margen de que ella lo supiera o no, Apollo siempre había protegido a Elle. Siempre le había importado.

Pero las cosas habían cambiado. Y ahora ella estaba desanudándole la corbata, y él estaba harto de contenerse.

Apollo estiró el brazo y la sujetó por la muñeca.

–¿Qué diablos estás haciendo? –le preguntó.

Elle lo miró boquiabierta con sus grandes ojos verdes.

–Yo... –se sonrojó.

–Si te disponías a quitarme la camisa, puedes parar

ahora y salir por esa puerta o continuar. Si sigues adelante tienes que saber que terminarás tumbada boca
arriba gritando mi nombre de una forma muy diferente antes de poder protestar.

Elle se sonrojó aún más. Apollo pensaba que iba a
salir corriendo, porque era una buena chica a ojos de
su padre. Aunque era una mujer fría, distante y que se
consideraba superior a él.

Apollo quiso desde el principio destruir aquella fa-
chada, pero no lo hizo porque sabía que era inocente.
Sabía que no era más que una niña rica mimada que
siempre se sentiría perdida con un hombre como él. Un
hombre que se había criado en las calles de Atenas y
que había aprendido la dura realidad de la vida muy
pronto.

Siempre había sido consciente de que si la tocaba
quebraría la confianza que había forjado con su padre.
Sin embargo, si Elle iba a tocarlo ahora, si iba a tras-
pasar la barrera que se había creado entre ellos, él no
iba a detenerla.

Apollo Savas era un hombre que siempre tenía lo
que quería.

Con una excepción.

Elle.

La había deseado desde el momento en que pasó
de niña a mujer. Una mujer altiva y despectiva que
siempre le miraba por encima del hombro. Y eso había hecho que él la deseara todavía más.

Su mayor traición no había sido comprar los acti-
vos más valiosos de St. James Corporation y destro-
zarlos poco a poco.

No, su mayor traición había empezado mucho antes de descubrir la verdadera naturaleza de David St.
James. Había empezado mucho antes de que descu-

briera los oscuros secretos acerca de por qué su madre
y él habían llegado a la casa de St. James.

Su primera traición había sido su manera de mirar
a Elle.

De todos modos, ahora todo se había estropeado, y
puesto que había roto todos los lazos de fidelidad que
tenía con su familia, ¿por qué no iba a romper ese
también? ¿Por qué no sacrificar también a la última
vaca sagrada?

Había destruido todo lo demás. También podía destruir aquello. Y lo disfrutaría.

Elle tenía aún la mano en la corbata. Entonces lo
miró con un brillo decisivo en los ojos y le deshizo el
nudo del todo.

Apollo gruñó y agarró aquella sedosa coleta que lo
había estado tentando desde que entró en la sala de
juntas. Enredó su cabello cobrizo con los dedos y tiró
con fuerza para que inclinara la cabeza hacia atrás.
Ella resopló ligeramente y separó los labios.

Se miraron durante unos instantes, esperando a ver
qué pasaba. A ver quién daba el siguiente paso.

Apollo había esperado demasiado y no estaba dispuesto a esperar más.

La poseería en ese mismo instante. Le quitaría la
ropa y la castigaría con sus besos tal y como debería
haber hecho el día que ella lo desafió en la piscina.
La única ocasión en que la rabia que ambos sentían
había amainado y dejado traslucir lo que había debajo.

Por supuesto, después Elle actuó como si nada hubiera sucedido. Y él también.

Sin embargo, en esta ocasión él se aseguraría de
que no se repitiera la historia.

La rodeó por la cintura, la atrajo hacia su cuerpo y

la apretó contra la pared. Después inclinó la cabeza y la besó en el cuello, mordisqueándole la piel.

El sonido que escapó de labios de Elle era de desesperación. Lo agarró por los hombros y le clavó las uñas a través de la chaqueta del traje. Después colocó las palmas sobre su pecho y le tiró de la camisa hasta arrancarle los botones. Elle le bajó la chaqueta y la camisa por los hombros. Apollo se desabrochó los puños para ayudarla y dejó caer la camisa al suelo.

Elle estaba asombrada y satisfecha con lo que había hecho. Apoyó las manos sobre el torso de Apollo y las deslizó hasta su vientre para comenzar a desabrocharle el cinturón.

–Estás ansiosa –dijo él sujetándola por las muñecas y levantándole los brazos sobre la cabeza mientras, con la otra mano, desabrochaba su blusa de seda.

Ella se sonrojó y trató de resistirse. Los pechos le subían y bajaban con la respiración. Él se rio cuando, al abrirle la blusa, descubrió un sujetador de encaje rojo sin gracia con el que suponía que ella se sentiría muy vampiresa.

Elle arqueó la espalda y Apollo le sujetó las manos con más firmeza.

–No eres tú la que pone las condiciones –le dijo–. Ni en la sala de juntas ni en la cama. Yo estoy a cargo de todo.

–Para ti todo es una competición ¿verdad? –preguntó ella.

–Oh, *agape*, nunca ha sido una competición. ¿Cómo podría serlo si yo siempre gano?

Apollo vio por primera vez un atisbo de duda en su mirada, pero enseguida fue sustituida por el desafío.

–¿Eres tan inseguro que tienes que ejercer tu dominio así? Eres igual aquí que en la oficina.

Apollo acercó la boca a la suya.

—Vas a pagar por esto.

—Espero que no sea una amenaza vacía, Apollo —dijo ella—. Parece que en tu caso siempre lo son. Él cerró la distancia entre ellos y le mordisqueó el labio inferior. Elle gimió y Apollo se apartó un poco. Ella tenía la piel sonrosada y era evidente que además de enfadada estaba excitada.

—Una cosa que debes aprender, *agape,* es que mis amenazas nunca son en balde. Simplemente, las consecuencias pueden tardar en llegar.

Ella bajó la mirada un instante.

—Espero que hoy no lleguen demasiado tarde.

Oír aquellas palabras de labios de Elle le resultó sorprendente, y tuvieron el efecto deseado.

Apollo estaba tan excitado que sentía que iba a romper la cremallera de los pantalones. El corazón le latía con fuerza y las manos le temblaron al retirarle la blusa de los hombros.

No recordaba cuándo había sido la última vez que una mujer lo había afectado de aquella manera. Si es que alguna vez le había pasado. En realidad, nunca había estado en una situación como aquella. Su compañera nunca lo había mirado con deseo y rabia al mismo tiempo. Nunca lo habían mirado como si quisieran estrangularlo y poseerlo al mismo tiempo.

Y nunca había estado con Elle.

—No sabía que eras capaz de hablar así, Elle —le mordisqueó la oreja—. Si hubieses negociado desde el principio de esta manera habrías tenido mucho más éxito.

—Eres un bastardo —soltó ella, volviendo la cabeza y acariciándole el mentón con la lengua—. Un completo...

–Y me deseas –dijo él, soltándole las manos y mirándola a los ojos–. ¿Qué dice eso de ti?

–Sé que esto es la gota que colma el vaso de mi decencia –Elle le agarró el cinturón y se lo sacó de las trabillas antes de continuar abriéndole los pantalones.

–Pues hazlo con estilo –Apollo le acarició la cintura y le subió la falda hasta las caderas. Las braguitas eran del mismo color que el sujetador.

–Pensaba que llevarías ropa blanca de algodón –dijo él–. ¿Quién iba a imaginar que guardabas tantos secretos?

–Nunca conocerás mis secretos, Apollo.

–Eres venenosa –dijo él besándola en los labios–. Sin embargo, estás deseando poseerme.

Ella colocó la mano entre ambos y presionó su miembro erecto con la mano.

–Lo mismo digo.

–Estoy cansado de hablar.

Entonces la besó de forma apasionada, reclamando el beso que debía haberle robado años atrás.

Elle no tenía ni idea de en qué estaba pensando. No estaba pensando. Estaba sintiendo. Rabia, deseo, excitación, como nunca había imaginado que pudiera sentir.

Aunque la rabia y el deseo siempre habían estado presentes cuando se trataba de Apollo. Quizá no siempre, pero sí en los últimos años. Cuando su enamoramiento de adolescente se había convertido en el deseo de una mujer adulta.

Ya no tenía dieciséis años. Y ya sabía lo que hombres y mujeres hacían en la oscuridad. No necesitaba haberlo vivido para saberlo.

En algún momento, Apollo había pasado de ser alguien en quien ella confiaba y admiraba, un miembro de la familia St. James, a ser su peor enemigo. Y junto a ese cambio, también había cambiado el deseo que sentía por él.

Era una situación difícil de entender. Ningún hombre la había hecho sentir nada parecido. No importaba que fuera una relación impropia. Era pura adrenalina. Pura excitación. Al lado de Apollo, los hombres con los que había salido le parecían sosos y aburridos.

Por eso estaba sucediendo aquello. Era lo que tenía que pasar. Cuando aquello terminara, estaría tranquila. Tras aquel encuentro conseguiría saciar el deseo que sentía por él. Y cuando lo mirara, ya no sentiría nada.

Oh, era lo que más deseaba.

Lo besó. Con rabia y con deseo. Apollo comenzó a juguetear con la lengua dentro de su boca sujetándola por las caderas. Después colocó las manos entre las piernas de Elle y le acarició la prenda de encaje que ocultaba el deseo que sentía.

Elle suspiró. Estaba temblando. Nunca había compartido un momento tan íntimo con un hombre y, sin embargo, no tenía miedo. Estaba más que preparada para aquello. Era la combinación de años de fantasías.

Apollo deslizó los dedos bajo la ropa interior y le acarició la piel húmeda de la entrepierna. Era evidente que ella lo deseaba.

–Sí –dijo él.

Su manera de decirlo dejaba claro que él también la deseaba y ella se excitó todavía más. Lo agarró por la cinturilla de los pantalones y se los bajó. Metió la mano entre sus cuerpos y le rodeó el miembro erecto. Elle se estremeció. Nunca había tocado a un hombre de aquella manera. No imaginaba que pudiera ser tan grande. Se sentía débil a causa del deseo. Aquel era el motivo por el que se sentía vacía. Y por lo que necesitaba sentirse plena.

Apollo deslizó un dedo en su cuerpo y ella suspiró de placer. Se agarró a sus brazos y permitió que él continuara jugueteando como anticipo a lo que realmente deseaba. Lo miró. Estaba muy atractivo. Y lo deseaba más de lo que nunca había deseado nada. Lo besó en la comisura de los labios y le acarició el inferior con la lengua. Él retiró la mano de entre sus muslos y la levantó para desabrocharle el sujetador. Entonces inclinó la cabeza y le cubrió con la boca uno de los pezones.

Elle gimió y echó la cabeza hacia atrás, tirándole del pelo mientras Apollo continuaba dándole placer.

–Por favor –gimió–. Por favor.

Él se apartó un poco, se agachó para recoger los pantalones y sacó un preservativo del bolsillo.

Elle se fijó en que tenía la respiración entrecortada. Solo podía observarlo. Era mucho más atractivo de lo que había imaginado.

Cuando regresó a su lado, colocó su torso desnudo sobre su pecho y la presionó contra la pared. Elle siguió mirándolo a la cara, esa cara que odiaba y a la vez adoraba. Le sujetó el rostro con las manos y lo besó de manera apasionada. Apollo le puso la mano entre las piernas y deslizó dos dedos en su cuerpo, ensanchándola con suavidad. Estaba preparada para recibirlo. Más que preparada.

–Hazlo –masculló contra sus labios.

Él la sujetó por las caderas le levantó una pierna con una mano. Acarició con su miembro erecto la húmeda entrada de su cuerpo, y al instante la penetró.

Elle experimentó un dolor agudo, y al sentir que se le llenaban los ojos de lágrimas los cerró para que Apollo no se diera cuenta. Momentos antes se había sentido poderosa, pero en aquel momento se notó vulnerable. Y no era lo que deseaba. Quería sentir placer y satisfacer su deseo. Librarse de una vez por todas del sentimiento tóxico que experimentaba hacia Apollo. Pero no contaba con el dolor ni con la sensación de estar rompiéndose en mil pedazos. La sensación de estar unida a él como nunca a ninguna otra persona.

Si Apollo se dio cuenta, no comentó nada. La besó en los labios y movió las caderas una y otra vez. Poco a poco, el dolor fue reemplazado por el placer.

Ella lo deseaba. Nada más se interponía entre ambos. Ni la rabia, ni el odio. Nada, aparte de un intenso deseo que anhelaban satisfacer. Se agarró a sus hombros y lo besó mientras se acompasaba a los movimientos rítmicos que los llevarían al límite.

Apollo la penetró con fuerza y ella gimió de placer, clavándole las uñas en la espalda.

Él la sujetó por la barbilla, obligándola a que lo mirara. Elle lo miró y se dio cuenta de que la estaba retando. Se estremeció al sentir una fuerte tensión en la base del estómago y apretó los músculos de la entrepierna, anticipando el orgasmo.

Apollo se retiró despacio y luego la penetró de nuevo. Elle notó que una luz blanca le nublaba la vista, al mismo tiempo que su cuerpo se sacudía con fuerza dejándola extenuada. Entonces Apollo tensó todo el cuerpo y se estremeció antes de alcanzar el éxtasis.

Inclinó la cabeza y le mordisqueó el cuello. Elle echó la cabeza hacia atrás y suspiró.

Permanecieron así unos instantes y luego, despacio, volvieron a la realidad.

Elle lo había hecho. Le había entregado su virginidad a Apollo Savas.

De repente lo único que deseaba era acurrucarse y llorar.

Lo empujó por los hombros y Apollo se retiró. Ella miró al suelo y se percató de que solo se había quitado la blusa. Ni siquiera había podido esperar a que él la desnudara del todo.

Apollo pensaría que estaba completamente desesperada, que llevaba años deseándolo.

Era verdad. Y por eso resultaba especialmente espeluznante.

Se estiró la ropa y se colocó la falda en su sitio antes de ponerse el sujetador y la blusa. Apollo no dijo nada, simplemente la miró fijamente con sus ojos oscuros.

—Un poco demasiado tarde, *agape* —dijo Apollo—. Me marcho por la mañana.

—Muy bien —dijo Elle pasándose la mano por la coleta

—No te veré. Y no tomaré ninguna decisión sobre los cambios de tu plantilla hasta que nos volvamos a ver.

—Me tranquiliza oír eso.

—Regresaré a la ciudad el día veinte. Asegúrate de tener libre ese día.

Al escuchar aquellas palabras, Elle se dio cuenta de que se estaba despidiendo. Así, sin más florituras, como si acabaran de terminar una reunión.

Y él todavía estaba desnudo. Era absurdo. Pero no quería pensar en ello, solo quería marcharse de allí lo más rápido posible.

—Entonces te veré el día veinte.

Elle se colgó el bolso al hombro y lo sujetó con

fuerza. ¿Para evitar darle una bofetada? ¿O besarlo de nuevo? No estaba segura.

—Estupendo. ¿Quieres que te pida un taxi?

—No —Elle consultó su reloj—. Sólo son las tres. Tengo que seguir trabajando.

Tenía que regresar al trabajo así, con el tacto de sus manos grabado en la piel y las mejillas enrojecidas por el roce de su barba incipiente.

—Pues ya está.

—Adiós —dijo ella.

Apollo ladeó la cabeza.

—Adiós, Elle.

Capítulo 3

ELLE habría preferido tener un calendario de Adviento para esperar el regreso de Apollo a la ciudad. Así podría haberse comido una chocolatina diaria para lidiar con el estrés que le producía estar esperando su llegada.

Aquella mañana se dirigió al despacho cargada con un café extrafuerte, un bote de ibuprofeno y una falsa sonrisa en el rostro.

Porque Apollo llegaría en cualquier momento y empezaría a dar órdenes desde su pedestal. Ella tendría que enfrentarse a él por primera vez desde que... desde aquel día en el hotel.

Se sonrojó nada más pensar en ello. Aquello había sido vergonzoso. Algo que no debía repetirse nunca más. Después de todo, había pasado veintiséis años de su vida sin sexo, así que sería capaz de pasar algunas semanas más con tranquilidad. Quizá entonces, cuando todo estuviera arreglado, cuando Apollo dejara de pasar por allí para reorganizar su negocio y molestar a sus empleados Elle podría enfrentarse al hecho de que debía buscar una pareja.

Ese era el problema. Había esperado demasiado. Había permitido que el deseo que sentía por Apollo fuera algo tan intenso que ninguna otra cosa fuera comparable.

Al menos ya había tenido relaciones sexuales. Y precisamente con él.

Era una mujer moderna y no iba a permitir que Apollo la hiciera sentirse avergonzada de sus actos. Estaba segura de que lo intentaría, aunque solo fuera para tratar de demostrar que podía dominarla.

Pues no, gracias. No permitiría que la dominaran.

Abrió la puerta del despacho, y al ver quién estaba sentado junto al escritorio estuvo a punto de derramar el café.

—Ese es mi sitio —dijo con brusquedad.

—Me alegro de verte otra vez, *agape*.

—Apollo —replicó Elle—, no intentes camelarme solo porque hayamos tenido relaciones sexuales.

—No se me ocurriría —dijo él, con una sonrisa.

—No, supongo que no. Eso implicaría que sabes cómo camelar.

—Has puesto mi mundo del revés. He visto a Dios. Me has destrozado, para mí ya no puede haber más mujeres.

Elle apretó los dientes para contener la ola de calor que la invadía cuando le escuchaba hablar. Sabía que era un cretino, así que sus palabras no deberían... respiró hondo.

—Vamos a dejar nuestra pelea dialéctica a un lado. ¿Has hablado con mi padre desde que le apuñalaste por la espalda?

—Sí. Por supuesto.

—Está enfermo. ¿Cómo pudiste hacerle eso a tu propio...?

—Tu padre no es nada mío. Yo no soy de tu sangre, *agape*. Y mejor así, en caso contrario lo que pasó entre nosotros estaría prohibido —afirmó Apollo—. Cuéntame, Elle, ¿cómo está mi madre?

Ella arqueó una ceja.

–¿Cuánto tiempo hace que no hablas con Mariam?

–Meses –respondió Apollo encogiéndose de hombros–. Ella tampoco aprueba mi traición.

–¿Y tú sigues sin sentirte culpable?

–Tengo mis motivos –afirmó él con tono cortante.

–Estoy segura, pero ninguno será lo bastante convincente para mí ni mi familia. No importa cuáles sean. Y tu madre está bien –le dijo–. Anoche hablé con ella.

Le había resultado difícil hablar con su madrastra porque tenía muy presente el recuerdo de lo que había sucedido entre Apollo y ella. Elle se sentía culpable y temía ser transparente. Por suerte Mariam quería hablar de sus propios asuntos y no pareció darse cuenta de que Elle no estuvo muy habladora.

–Bueno –dijo aclarándose la garganta–, será mejor que volvamos a los negocios.

Él se agarró el nudo de la corbata.

–He revisado los pronósticos para el trimestre. Tienes que aumentar los beneficios pronto o tendrás que empezar a recortar gastos. Yo puedo garantizarte una cosa, pero no la otra –se puso en pie y apoyó las manos sobre el escritorio.

Elle trató de mantener el sentimiento de rabia y no dejarse llevar por la poderosa atracción que la invadía. ¿Cuál era el problema? Se suponía que estaba curada. Se suponía que estaba inmunizada contra los encuentros con Apollo. Sin embargo, no se sentía curada. De hecho, se sentía mareada.

–Por supuesto que no puedes –dijo ella–. Nadie puede garantizar un aumento de los beneficios, pero confía en mí, si seguimos en esta dirección...

–No se trata de confianza. Yo tengo mucha más experiencia en los negocios que tú, Elle.

Sus palabras le resultaron dolorosas. En parte porque decían la verdad.

Y porque se introducían bajo la armadura que ella se había esforzado en colocarse y golpeaban sobre la herida que se le abría todos los días. Era la segunda opción que había elegido su padre, y si fracasaba demostraría que nunca debería haber ocupado aquel puesto. Que si su padre hubiese tenido opción habría puesto a otra persona en su lugar. Y que si Apollo no se hubiera vuelto en su contra, estaría ahora en su lugar.

—Esta empresa me importa. *Matte* está en una situación tan precaria en parte porque tú decidiste adquirirla cuanto viste que tenía dificultades. Ya sabías dónde te metías.

—Y sin mi influencia seguramente estaría ya bajo tierra. Como el resto de las empresas que le compré a tu padre.

—Tú les pegaste el último disparo.

—El tiro de gracia –afirmó Apollo con tono seco–. No estoy haciendo esto para divertirme. Si yo triunfo, tú triunfas conmigo. No soy ese enemigo que te empeñas que sea.

Elle no supo qué decir.

—No finjas ahora que no eres el malo de la película.

—Sé muy bien que soy el malo aquí, *agape*. Créeme si te digo que conozco muy bien mi papel en esta obra. Pero no tenemos que ser enemigos. Solo quiero que entiendas que salvaré *Matte* si eso es posible.

—Hoy has venido a anunciar recortes, ¿no es así?

—Pues no. He venido a hablar contigo de un asunto. Me gustaría que vinieras a mi sede europea para que te hagas una idea de cómo funcionan las cosas, asistas a algunas reuniones y a algunos actos benéficos.

−¿Qué?

−Lo que me gustaría hacer es ayudar revitalizar la imagen de *Matte*. Que te conozca la gente. Que tengas un rostro conocido, por decirlo de alguna manera. Y así tal vez podamos evitar los recortes.

Elle no esperaba aquello. No contaba con que le tendiera una mano. Apollo no dejaba de sorprenderla.

−¿Esperas que me vaya a Europa contigo?

−Sí. Y también espero que accedas a pasar un tiempo conmigo en Grecia, donde está la base principal −Apollo sonrió.

Y por un instante, a Elle le pareció estar viendo al niño que fue. El niño que la había hipnotizado desde el momento en que lo vio y al que había procedido a fastidiar con comentarios hirientes cada vez que podía, recordándole que en realidad no era un St. James. Porque no era más que una niña pequeña y había manejado la situación como si estuviera en el patio del colegio.

Pero aunque las cosas nunca fueron fáciles entre ellos, Apollo estuvo siempre muy cerca de su padre. Y, sin embargo, ahora estaban completamente distanciados. Y ella se veía en medio de los dos, arrojada a una tormenta que no podía controlar. Entre dos machos alfa chocando cuernos, uno defendiendo su bastión y el otro intentando destruirlo.

−Bueno, no voy a decir que no a unas vacaciones gratis −anunció tratando de mantener un tono ligero. No iba a mostrarle sus cartas. No iba a dejar que viera que aquello le importaba. Que iba a utilizar la situación para redimirse.

−Oh, no van a ser unas vacaciones −afirmó Apollo rodeando el escritorio para dirigirse hacia la puerta−. Iremos a Grecia a trabajar. Pero además habrá un evento benéfico al que asistiremos juntos.

–Como socios, supongo.

Elle no podía siquiera imaginar la reacción de su padre. Si supiera que Apollo y ella... se pondría furioso. Se llevaría un disgusto.

La idea de desilusionarle o incluso perderle le resultaba insoportable. Su madre se marchó cuando Elle era una niña. Apenas la recordaba. Pero sí recordaba el vacío que dejó porque todavía seguía allí.

No podría volver a pasar por eso.

Apollo le dirigió una mirada despectiva.

–¿De qué otro modo podría ser? La idea es reforzar la marca. Si alguien sospecha que nosotros...

–No hace falta estar sacando el tema constantemente –Elle se cruzó de brazos y sacudió la coleta.

–Deberías dejarte el pelo suelto –comentó Apollo siguiendo el movimiento con la mirada.

Ella detuvo el gesto en seco.

–No te he pedido ningún consejo de belleza.

–Pero te lo doy porque lo necesitas –la miró con expresión crítica–. Deberías tener una imagen más juvenil. Menos estirada.

Elle frunció el ceño.

–No tengo una imagen estirada, sino clásica. Eso es chic.

–Está claro que sabes cómo sacar partido a tu figura –Apollo no se molestó en disimular su mirada–. Pero necesitas algo más para ser una marca que la gente recuerde.

–Yo no soy una marca –le espetó ella–. Soy una mujer. ¿Dónde vas? –Apollo estaba ya en la puerta.

–Tengo muchas cosas que hacer –afirmó Apollo saliendo al pasillo. Elle le siguió–. Quiero echar un vistazo a los diferentes departamentos –dijo pulsando el botón del ascensor.

Elle entró en el ascensor justo antes de que las puertas se cerraran. Dejó escapar un suspiro y de pronto fue consciente de que estaba otra vez a solas con Apollo. Le miró por el rabillo del ojo y trató de no pensar en la sensación de inquietud que notaba entre las piernas.

Las puertas se abrieron tras lo que le pareció una eternidad. Estaban en la planta del departamento de marketing. Apollo salió del ascensor como un huracán. Las caras se giraron a su paso y las expresiones pasaban de relajadas a aterrorizadas.

–Hola –dijo con tono amable deteniéndose en una de las mesas–. Mi nombre es Apollo Savas. Soy el dueño de esta empresa. ¿Cuál es tu puesto aquí?

La joven, una rubia que no habría cumplido los veinticinco, parpadeó con temor.

–Formo parte del equipo de marketing de la línea de maquillaje –dijo con voz temblorosa.

–¿Y cómo tenéis pensado aumentar las ventas? ¿Qué crees que puede atraer a las consumidoras hacia este producto y no hacia otros?

–Yo... yo...

–Ya es suficiente –intervino Elle–. No atosigues a mis empleados.

Apollo se giró hacia ella con una expresión burlona, y Elle sintió de pronto que eran las dos únicas personas de la estancia.

No cabía duda de que no era tan inmune a Apollo como le gustaría ser.

Apollo se plantearía la pureza de sus motivos si sus motivos fueran alguna vez puros. No lo eran, así que estaba seguro que detrás de esto había también algo retorcido, aunque no sabía concretamente de qué se trataba.

Quería que Elle entendiera la importancia de hacer lo que él decía. Cuando la dejó después de... después de la lamentable pérdida de control que había experimentado en la habitación de hotel, formuló un plan para intentar mejorar las cosas en su empresa. Tal vez fuera una tontería. No debería importarle el destino de su revista más allá del beneficio que pudiera sacar él.

Tal vez se debía al hecho de que Elle se había convertido en daño colateral de una guerra en la que Apollo no quería involucrarla. Pero David la colocó en primera línea de fuego.

Apollo no era un hombre compasivo. Pocas personas le habían importado en su vida, y resultó que las que más le importaban lo habían traicionado mucho tiempo atrás.

Y por eso se había hecho con el imperio de su padrastro y había empezado a desmantelarlo. Pero dejó a Elle en *Matte*. Dios sabía por qué. Apollo sabía que al final destruiría *Matte* y a ella.

Tal vez porque sabía lo que era verse atrapado en las consecuencias de los pecados de un padre. Tal vez porque sabía que, aunque no hubiera sido amable con él cuando eran pequeños, Elle era inocente.

Pero ahora... ahora era como si le hubieran quitado una venda de los ojos. Tendría que utilizarla. No tenía más opción. No podía evitarlo. Le había quedado claro cuando la tomó contra la pared.

En muchos sentidos había sido un símbolo de esa protección destruida. El deseo de Apollo de mantenerla a salvo de sí mismo había quedado completamente destrozado.

Ya no podía seguir ignorando el hecho de que tendría que destruirla junto con su padre.

La utilizaría. Y luego la descartaría.

Aquello no tenía nada que ver con su deseo de volver a desnudarla. De volver a ver su pálida piel sonrojada por el placer. Porque no iba a permitirse nunca más aquella indulgencia.

Apollo se cruzó de hombros y trató de cortar con sus pensamientos.

—Voy a ir a la planta donde está tu despacho y a trabajar durante unas horas. Me gusta familiarizarme con mis nuevas adquisiciones.

Elle palideció y apretó las mandíbulas.

—¿No puedes hacerlo en la habitación del hotel?

La mención del hotel le trajo a la memoria recuerdos prohibidos.

—Podría. Pero me gustaría empaparme un poco más de cómo funcionan las cosas aquí. A ti te conviene. Tal vez me encariñe. Tal vez vea la importancia de ese equipo tuyo del que tanto hablas.

Elle no dijo nada, pero su expresión indicaba sufrimiento. Recorrieron el espacio de la oficina para volver a los ascensores. Elle pulsó varias veces el botón con impaciencia. Cuando por fin se subieron, Apollo tuvo la sensación de que le faltaba el aire.

Nunca había conocido una tensión como la que había entre ellos. Seguramente porque Elle era la única mujer que se le había resistido. Recordaba muy bien cuándo se dio cuenta de que era una mujer, no una niña. Fue poco después de que cumpliera diecisiete años. Aquella repentina atracción le resultó aberrante, y le golpeó con tanta fuerza que no tuvo oportunidad de protegerse de ella.

En aquel entonces estuvo a punto de dejarse arrastrar. Recordaba muy bien la vez que volvió a casa de la universidad y se la encontró saliendo de la piscina. Las delicadas curvas cubiertas por un bikini rosa fucsia que resaltaba todavía más su cabello rojo.

Y Apollo se acercó a ella, y Elle le hizo algún comentario malicioso, como siempre hacía. Entonces él la agarró del brazo y la atrajo hacia sí. Los ojos verdes de Elle se abrieron de par en par y entreabrió los labios. Suplicando que la besara.

Pero Apollo no lo hizo. Observó cómo las gotas de agua le caían por la piel desnuda, por los senos, y se imaginó inclinando la cabeza para beberlas. Pero tampoco lo hizo.

Esperó. Esperó hasta que los ojos de Elle se oscurecieron por el deseo. Hasta que vio cómo se le aceleraba la respiración. La sostuvo del brazo hasta que estuvo seguro de que la había excitado. Y entonces la soltó y se dio la vuelta, duro como el acero y fantaseando respecto a lo que pudo haber pasado.

Y ahora... Bueno, ahora ya la había poseído, ¿no? Había respondido a la pregunta que nunca quiso plantear.

La miró ahora. El cuello largo y elegante, al descubierto gracias a la coleta que llevaba. La suave curva de sus pálidos labios. El estómago se le encogió. Estaba claro que el deseo que sentía por ella no se había saciado con un ataque rápido contra la pared.

—Me gustaría que dejaras de mirarme fijamente —dijo Elle pulsando el botón que los llevaría a la planta en la que estaba su despacho.

—Estoy intentando descifrar los misterios de tu mente —contestó Apollo—. O mejor dicho, estoy intentando recordar cómo eres debajo de la ropa.

Sabía que tentarla no era una buena idea, que solo

los llevaría al lugar del que deseaba desesperadamente alejarse.

–Déjalo ya –dijo Elle.

–Parece que estás deseando olvidar lo que pasó
entre nosotros.

–A nadie le gusta recordar las desgracias. Tener
relaciones sexuales contigo ha sido para mí como un
paseo por el valle de los muertos.

–Qué honor para mí.

Apollo la deseaba. Cuanto más se enfadaba con ella,
más la deseaba. No era el deseo normal que tenía
cuando escogía a alguna mujer con la que pasar un par
de horas y divertirse. Era algo mucho más oscuro. Algo
prohibido. Algo que se había dicho a sí mismo que no
podía tener.

–No te caigo bien –murmuró–. Pero me deseas.

–Vamos, Apollo, no me digas que todas las mujeres con la que te acuestas te caen bien. Los dos sabemos que el sexo no es amor –afirmó Elle alzando la
barbilla.

Estaba interpretando el papel de mujer experimen-
tada. Había ardido en llamas entre sus brazos, pero
había algo que no cuadraba. Algo que no estaba seguro de querer analizar, porque tampoco cambiaría
nada.

–Tal vez. Pero el sexo y el odio no suelen ir de la
mano. Y tú aseguras que me odias.

–Así es –afirmó Elle echando chispas por los
ojos–. Te odio por lo que nos has hecho a mi padre y
a mí.

–Aunque no lo suficiente como para dejar la empresa.

–Eso sería abandonar lo que hemos construido. Lo
que él está intentando mantener a pesar de ti.

—Admiro tu dedicación y tu lealtad.

—¿Por qué admiras mi lealtad, si es algo que tú no tienes?

—Por eso. Admiramos en los demás lo que nos falta, ¿no es así? —preguntó Apollo.

—No lo sé. Yo no admiro nada de ti.

Él se rio entre dientes y salvó la distancia que había entre ellos.

—Creo que sí hay unas cuantas cosas que admiras en mí —dijo acercándose un poco más—. Por ejemplo, lo que puedo hacer con tu cuerpo. Creo que los dos lo sabemos.

Ella abrió los ojos de par en par y también entreabrió los labios.

—Yo sé contenerme —afirmó con voz temblorosa.

—¿Ah, sí? —preguntó Apollo con voz ronca—. Tal vez deberíamos comprobarlo. Estiró el brazo y pulsó el botón para detener el ascensor—. Me deseas. Reconócelo.

Elle estiró la mano para apartarlo. Pero se la deslizó por el pecho. Los senos le subían y le bajaban a toda velocidad. Alzó la vista para mirarle con expresión aterrorizada y le dio un golpecito en el pecho antes de empezar a descender suavemente las yemas de los dedos por su camisa.

Entonces lo atrajo hacia sí y lo besó con fuerza en los labios.

Apollo saboreó la rabia y un atisbo de vergüenza en la lengua de Elle. Y reconoció aquella mezcla, porque él lo sentía también. Elle gimió y se apartó bruscamente, pero Apollo le pasó el brazo por detrás de la cabeza y la sostuvo con firmeza.

—Me deseas —gruñó—. No lo niegues.

—Desear no es lo mismo que poseer.

–Para nosotros sí –Apollo le desabrochó los botones superiores de la blusa.

Elle introdujo una mano entre sus cuerpos y apretó la palma contra su dura erección, acariciándola despacio a través de la tela de los pantalones.

–He soñado contigo –murmuró con voz excitada–. Con esto.

–Yo también –Apollo le puso la mano sobre la suya para aumentar la presión de su contacto–. Todas las noches.

–¿Has estado con alguna otra mujer desde nuestro encuentro? –le preguntó con tono fiero.

–No –Apollo se la imaginó de pronto acariciando a otro hombre de aquel modo–. ¿Tú has estado con otro hombre?

Elle sacudió la cabeza y dobló los dedos sobre su erección. Apollo gimió y la estrechó entre sus brazos, besándola con pasión, rabia y alivio. La idea de que otro hombre le pusiera las manos encima le enfurecía. La deseaba. Había transcurrido demasiado tiempo. Nueve años. Nueve largos años deseando a Elle St. James aunque odiara a su familia. Aunque se viera poseído por el deseo de verlos destruidos, la deseaba. Resultaba inaceptable.

Lo quemaría. Quemaría aquel deseo y entonces todo terminaría.

Le quitó la ropa lo más deprisa que pudo, estuvo a punto de rasgarle la delicada tela de la blusa. Y sí le rasgó las braguitas.

Elle no protestó. Lo que sí hizo fue emitir un dulce sonido de placer mientras Apollo le apartaba la tela de encaje de la piel y le acariciaba con los dedos la piel húmeda y perfecta entre las piernas. Elle le deseaba. No había duda.

Podía sentir la prueba.

Esta vez le quitó toda la ropa y la dejó completamente desnuda bajo su mirada. Había pasado muchos años fantaseando con el aspecto que tendría. Con el tamaño de sus senos, el color de los pezones. El bello triángulo de rizos entre los muslos.

Sí, muchas veces había soñado con el cuerpo desnudo de Elle. Había pasado mucho tiempo consumido por la curiosidad de qué habría bajo su remilgada ropa.

Ahora no tenía que preguntárselo. Ahora lo sabía. Pero tenía la sensación de que todavía le perseguía en sueños.

Apollo se quitó la chaqueta y la dejó sobre el suelo, extendiéndola todo lo que pudo. Luego la tomó entre sus brazos y la tumbó sobre ella.

Esta vez no tuvo tiempo de preocuparse de nada. Estaba demasiado ansioso, demasiado desesperado. Dos cosas más que añadir a su lista de pecados, porque desde que hizo fortuna, desde que salió de la pobreza, se había asegurado de no sentirse nunca ansioso ni desesperado.

La besó en la cara interior del muslo y Elle se estremeció. Luego volvió a besarla en la boca, gratificado al sentir cómo temblaba bajo sus labios a medida que se iba acercando al corazón de su deseo.

–Me muero por saborearte –murmuró Apollo.

Ella se mordió el labio y cerró los ojos, intentando apartarse mientras Apollo deslizaba la lengua por donde ella más lo deseaba.

–No tienes qué...

Apollo le plantó las palmas con firmeza en las suaves nalgas y se la acercó más hacia la boca, saboreándola con mayor intensidad en respuesta a su protesta. Elle se retorció bajo su cuerpo. Apollo introdujo las manos en el juego, acariciándola con los dedos, metiéndole uno dentro para descubrir lo húmeda y lista que estaba para él.

Era dulce como un postre. Siguió acariciándola más profundamente y añadió un segundo dedo. Elle se estremeció y sus músculos internos lo estrecharon con fuerza mientras se convulsionaba con el orgasmo.

–Apollo... –murmuró sin dejar lugar a dudas de lo que deseaba.

–¿Estás lista para mí, *agape*?

Elle no habló, se limitó a asentir con la cabeza.

Apollo se quitó los pantalones sin preocuparse de desabrocharse los botones de la camisa. Y entró en ella dejando escapar el aire entre los dientes.

Sí, el control era para otros hombres. Para hombres mejores. Él iba a conquistar. Su deseo y su rabia.

Conseguiría lo que quería. La única pregunta era por qué no lo había hecho antes.

Puso los labios en los suyos, su pelvis entraba en contacto con el clítoris de Elle cada vez que penetraba su cuerpo cálido y dispuesto. Y entonces se perdió, se perdió en el acto y en ella. En Elle. Y no le importó nada que estuvieran en un ascensor ni que la estuviera utilizando. Lo único que le importaba era aquello.

Se entregó completamente al momento, se perdió en el ritmo de su cuerpo, en el deslizar de su piel, en los suaves gemidos que emitía. Los susurros que salían de su boca le urgían a seguir, a tomarla con más fuerza, más deprisa.

Apollo hizo un esfuerzo por contenerse antes de encontrar su propio éxtasis. No quería llegar sin llevarse a Elle consigo.

Quería hacer algo más que eso. Quería que gritara. Quería que estuviera perdida, obsesionada como él.

Se negaba a quedarse solo con aquella destructiva obsesión. Se llevaría también a Elle por delante.

Aquel pensamiento cristalizó en su mente con claridad mientras su orgasmo lo cubría por completo con oleadas incontrolables. Y entonces Ella arqueó la espalda debajo de su cuerpo y gritó mientras le clavaba las uñas en la espalda a través de la tela de la camisa. Apollo disfrutó de la punzada de dolor que apareció acompañando al placer. Aquello era lo único que le ataba a la tierra, que mantenía parte de su ser bajo control

Y mientras Elle alcanzaba el orgasmo debajo de él, mientras deslizaba las manos por su piel desnuda, se dio cuenta exactamente de lo que iba a hacer.

Se quedaría con Elle hasta que terminara con ella. La convertiría en la cara pública de la empresa. Y cuando llegara el momento adecuado, dejaría caer la hoja de la guillotina.

La apartaría de su puesto de directora ejecutiva y con aquel movimiento final se libraría para siempre de la familia St. James. Cerraría aquel capítulo para siempre.

No solo se dejaría quemar por el deseo, también la destruiría a ella.

Se inclinó hacia delante y rozó los labios con los suyos.

—Y ahora dime, *agape*, no soy tan malo, ¿verdad?

Capítulo 4

ELLE había optado por mantener la boca cerrada desde que recogió lentamente su ropa del suelo del ascensor. Guardó silencio mientras el chófer de Apollo los llevaba a su apartamento y mientras hacía las maletas con él esperando en el salón. Luego fueron al aeropuerto y subieron al jet privado de Apollo.

Intentó cambiar la cara de pasmada que tenía mientras miraba a su alrededor en el avión. Sabía que era rico, pero no tanto. Ella se había criado en circunstancias muy afortunadas, pero su padre no tenía avión privado.

Y ahora menos. Por culpa de Apollo. Y más le valía a Elle no olvidarlo.

El problema era que no se olvidaba. Cuando hicieron el amor, o lo que fuera que había hecho, era muy consciente de quién era Apollo. De lo mucho que había hecho para destruir el legado de su familia.

Y aun así le deseaba.

Se sentía devastada. Sin saber cómo, había terminado besando a Apollo otra vez. Y en cuanto se tocaron, no se detuvieron allí. No pudieron.

–¿Te parece bien? –le preguntó él tomando asiento en el cómodo sillón de cuero que había al lado de una de las ventanillas–. Tienes cara de estar aterrorizada.

–Me gusta el avión. Me da un poco de miedo quedarme a solas contigo a nueve mil kilómetros de altura. Creo que estaría bien que ambos reconociéramos que lo que ha pasado entre nosotros, sea lo que sea, no es una buena idea.

–Es una idea terrible. Siéntate para que podamos despegar.

Elle miró a su alrededor y escogió la butaca más alejada de él.

–Y por cierto, te sigo odiando.

–Oh, soy muy consciente de ello –afirmó Apollo–. Creo que eso fue lo que me gritabas al oído hace unas horas. Ah, no, creo que decías «más» y «más fuerte».

–¿Qué es lo que buscas exactamente, Apollo? –le preguntó.

No confiaba en él. Ni un pelo. No estaba en posición de rechazar su orden de que volara con él a Grecia, ni tampoco confiaba completamente en sus explicaciones.

–Eso depende –dijo él reclinándose en el asiento. Todo su cuerpo exudaba poder y tensión–. ¿Hablas de negocios... o de placer?

–Creí que estábamos de acuerdo en que el lado del placer no nos conviene a ninguno.

–Así es. Nos odiamos el uno al otro. Me lo has dejado claro muchas veces. O mejor dicho, tú me odias a mí. Yo no tengo sentimientos tan fuertes hacia ti.

–No –respondió Elle con tono amargo–. Tú no sientes nada por mí ni por mi padre. Simplemente nos has destruido por placer.

–La empresa de tu padre perdía dinero a borbotones mucho antes de que yo apareciera a lidiar con ello.

–¿Y por qué no lo ayudaste?

–Ese es un asunto complicado –afirmó Apollo con tono seco.

–No tengo ningún problema para entender asuntos complicados. Adelante, explícamelo.

–Entre tu padre y yo hay más cosas de las que tú sabes.

–Ilústrame –le pidió Elle apretando los dientes.

–Ahora no. Pero entiende que lo que hago es por una causa mayor.

–¿Tu ego? De veras, eres increíble. Mi padre te lo dio todo. Te quiso desde el principio –afirmó Elle poniendo palabras a lo que no había dicho nunca antes, aunque siempre lo había pensado–. Y ahora tú le traicionas por dinero.

–Querer –espetó Apollo–. ¿Qué es querer, Elle? Dímelo. ¿Es amor lo que tu padre siente por ti cuando te mueve como un peón, desesperado por colocarte entre su reina y yo? ¿A mí me quiere o me ve como otra herramienta que puede utilizar? No tengo ninguna confianza en el amor. A mí no me ha servido de mucho.

A Elle le latía con fuerza el corazón y sentía un nudo en la garganta.

–¿Qué quieres de mí?

–¿A corto plazo? Quiero quemar esto que hay entre nosotros. El fuego no puede arder eternamente, ¿no crees?

–¿Estás sugiriendo que nos acostemos juntos mientras estamos fuera de Nueva York?

–Estoy haciendo mucho más que sugerir.

La rabia se convirtió en excitación que tomó asiento en el centro de su cuerpo y se irradió hacia fuera. La idea de volver a estar con él, de tocarle de nuevo, hizo que le temblaran las manos.

–No sabía que tuviera que coaccionar a las mujeres para que se metieran contigo en la cama.

–Los dos sabemos que a ti no tuve que coaccionarte. Además, nunca lo hemos hecho en la cama.

La idea de estar en la cama con él le parecía un lujo. La posibilidad de explorar su cuerpo a placer en lugar de verse a merced de la explosión que tenía lugar entre ellos cada vez que se tocaban. Aquella fuerza provocaba que le resultara imposible pensar, resistirse.

Siempre había deseado a Apollo. Y se odiaba a sí misma por ello. La enfurecía que mostrara tan poco interés, que fuera tan lejano. Así que la cargó contra él, intentando enfadarle ya que no podía conseguir que la deseara. Le retaba. Y finalmente decidió retarle sexualmente.

Recordaba perfectamente haber escogido el bikini más pequeño y brillante que encontró para intentar captar la atención de Apollo cuando llegara a la casa familiar.

Apollo se había acercado cuando Elle salió de la piscina y se sintió... desnuda. Viva. Asustada. Así que se refugió en su patrón habitual.

Se giró hacia él y le dijo con gesto despectivo: «en esta finca dejan entrar a todo el mundo. Cómo ha bajado el listón mi familia en los últimos años».

Los ojos de Apollo echaban chispas de furia. Entonces la agarró del brazo. Pero Elle no estaba asustada. Estaba... electrificada.

Apollo la sostuvo allí, la miró con dureza y durante un instante Elle creyó ver deseo en su mirada. Interés. Pero entonces la soltó y se dio la vuelta, dejándola allí como si nada hubiera pasado.

Pero por alguna razón, Apollo también la deseaba ahora. Aquella era la oportunidad de Elle de dejar todo atrás de una vez para siempre y seguir adelante.

–De acuerdo –dijo ignorando el escalofrío de emoción que le recorrió el cuerpo–. Estoy de acuerdo. Accedo a la idea de tener una aventura, pero tiene que ser secreta. ¿Te imaginas el escándalo? Yo saliendo con mi perverso hermanastro que le ha robado el legado a mi familia tras granjearse el cariño de mi padre.

–Por supuesto. No tengo ningún interés es pasear mi relación íntima contigo frente al mundo.

A Elle le molestaron sus palabras y el tono.

–Me hace gracia que hables como si te resultara desagradable. En mi caso es normal, todo el mundo que se mueve en el círculo empresarial te teme. Pero no entiendo por qué tú quieres distanciarte de mí.

Apollo arqueó una ceja.

–Me gusta un tipo de mujer, Elle, y no son las pelirrojas estiradas. Como sabes, los caballeros las prefieren rubias. O en mi caso, los granujas las prefieren rubias, morenas o pelirrojas siempre y cuando estén dispuestas a abrirse de piernas. Me gustan las mujeres que saben sonreír, que saben divertirse. No las arpías que me clavan las garras al mismo tiempo que me quitan la ropa.

–Te gusta que te clave las garras.

Los ojos de Apollo echaron chispas, y Elle se lo tomó como una victoria.

–Considero esto una circunstancia especial.

Elle quiso preguntarle si para él era igual con otras mujeres con las que había tenido relaciones sexuales, pero eso delataría su inexperiencia. Y no estaba dispuesta. Quería proteger su vulnerabilidad. Odiaba pedir ayuda, odiaba parecer ignorante.

Su padre era un hombre duro, y siempre había tenido la impresión de que estaba esperando que le decepcionara. Así que nunca le mostró su fragilidad. Nunca permitió que percibiera en ella incertidumbre. Se recubrió de un exterior de hierro que le costaba trabajo quitarse.

Y si estaba decidida a que su padre nunca la viera titubear, en el caso de Apollo mucho menos.

Eso significaba que no podía hacerle las preguntas que la corroían por dentro. Se quedarían sin respuesta. Aunque en realidad no importaba. Había pasado demasiado tiempo pensando en él.

Y si ahora estaba un poco... emocionada ante la perspectiva de tener un tiempo para lidiar con aquella atracción... bueno, era normal. La gente actuaba de manera ridícula en lo que al sexo se refería. La historia estaba llena de ejemplos. Hubo guerras que empezaron por deseo sexual.

Elle se pasó el resto del trayecto meditando sobre la contención y echando alguna que otra cabezada mientras Apollo seguía trabajando. Cada vez que abría los ojos y le miraba se lo encontraba en la misma posición, sin apartar la mirada del ordenador portátil.

Resultaba extraño mirarle en la cabina en penumbra. Había cambiado mucho durante los últimos años. Las líneas de su rostro se habían vuelto más pronunciadas, como si cada año le hubiera dejado una marca, una prueba de la vida que había llevado.

Cuando era adolescente nunca llevaba traje. Y también solía dejarse el pelo un poco largo. Ahora lo llevaba completamente corto, como si quisiera parecer un millonario conservador.

Elle quería volver a encontrar a aquel niño. Quitar las capas que se había puesto sobre la persona que era.

Volvió a cerrar los ojos, y cuando los abrió habían aterrizado en Grecia. Pasaron los trámites de aduana y control de pasaportes y se dirigieron a la limusina que les estaba esperando.

Atenas era una gigantesca extensión que Elle no había dibujado en su mente de forma adecuada. Las colinas tenían cimas blancas, pero no cubierta de nieve, sino de casas de piedra apiñadas que se fundían en el paisaje. El centro no se parecía en nada a la jungla de cristal y acero de Manhattan. Las estructuras antiguas se mezclaban con edificios más modernos, la historia y la herencia de la nación quedaba evidenciada en el intrincado trabajo en piedra, las gigantescas columnas y los mercadillos que había por la ciudad.

—¿Dónde vamos?

—Tengo una villa a las afueras.

Salieron de la ciudad y tomaron una carretera arbolada hasta llegar a lo alto de una colina completamente vacía que daba al mar. Allí, tras unas puertas de seguridad de hierro, había una casa de piedra blanca que resultaba más imponente que la finca de la familia St. James.

—¿Esta es ahora tu primera residencia?

Apollo se encogió de hombros.

—Después de todo, este es mi hogar.

—Eso ya lo sé. Naciste aquí. Te marchaste a los ocho años.

La limusina se acercó a la casa y el chófer aparcó en la entrada. Elle abrió la puerta, salió y miró la construcción. Le pareció una sucesión de cubos de varios tamaños apilados unos encima de otros, con grandes ventanales por todas partes que daban a las colinas que tenían detrás y al mar que había delante.

—No parece que aquí tengas mucha intimidad —comentó.

—¿Te preocupa que te vean desnuda los del pueblo? Porque tenlo claro, la mayor parte del tiempo que pasemos aquí estaremos sin ropa.

Aquella promesa sensual y oscura tendría que haberla asustado, ofendido. Pero la excitó.

–La idea se me ha pasado por la cabeza –reconoció.

No tenía sentido hacerse la estrecha ahora. Apollo sabía ya muy bien que no lo era.

–No te preocupes. Las ventanas pueden volverse ahumadas tocando un botón sin sacrificar las vistas. Pero me alegra saber que estás en el mismo barco que yo.

–Me preocupa mucho mi pudor –y su cordura.

–Bueno, espero que no te preocupe tanto cuando estés conmigo –Apollo avanzó delante de ella y se dirigió a la entrada de la casa–. Enseguida nos traerán el equipaje. Ven, te enseñaré la casa.

Elle entró detrás de Apollo. Le latía el corazón con fuerza y tenía la boca seca. No sabía qué iba a pasar a continuación. Si Apollo le quitaría la ropa al instante y la colocaría contra la pared. Si eso sucedía, ¿qué haría? Rendirse. Lo sabía por experiencia. Pero él no hizo amago de tocarla. Se detuvo en el enorme vestíbulo.

–Creo que esto se explica por sí solo –dijo indicando la zona de estar con el sofá doble que estaba apoyado contra la pared–. Detrás está la piscina –siguió avanzando hacia las escaleras abiertas que daban al segundo piso y Elle le siguió–. Mi despacho. La biblioteca, cocina y el comedor– siguió subiendo las escaleras hasta llegar al tercer piso –mi dormitorio está por ahí –dijo señalando a la izquierda–. Y allí encontrarás el tuyo.

Enfrente del suyo. Elle le siguió sintiéndose como un cachorrito temeroso de perder de vista a su amo.

Apollo abrió la puerta y reveló una zona iluminada y espaciosa. Todo era blanco. La colcha, las cortinas casi transparentes que colgaban del dosel. No había cortinas en las ventanas, ni tampoco en el resto de la casa. La cristalera proporcionaba una esplendorosa vista del mar que brillaba como una joya bajo el sol.

—Creo que no he entendido bien —dijo Elle mirando a su alrededor—. Pensé que íbamos a compartir habitación.

Apollo se rio entre dientes.

—Yo no duermo con mis amantes, *agape*. Tengo relaciones sexuales con ellas. Y para eso no necesitamos compartir dormitorio.

Maldición. Apollo se las había arreglado para hacerla sentir fuera de lugar aunque estuviera haciendo el esfuerzo de aparentar que se encontraba cómoda. Creía que le estaba saliendo bien. Hasta aquel momento.

—Por supuesto. ¿Cómo he podido ser tan tonta?

—Supongo que los chicos con los que sales se pasan la noche haciéndote el amor y luego te estrechan entre sus brazos para acurrucarte.

Su tono burlón la hirió. Estaba empezando a sentirse otra vez en desventaja. No lo permitiría.

—¿Te parezco la clase de mujer a la que le gusta que la acurruquen? —preguntó alzando una ceja—. Es imposible que imagines el tipo de hombres con los que suelo salir. Ni siquiera me conoces. Solo sabes lo que he querido mostrarte, nada más.

—Me equivoqué. Si me disculpas, voy a prepararme para la velada de hoy. Y tengo trabajo que adelantar.

—Trabajaste durante todo el vuelo.

—¿Estás impaciente por mí?

Elle tragó saliva para no contestar con sinceridad y decir que sí.

—Solo me preocupa que te mueras a los veintinueve años por una subida de tensión o algo así.

—Tu preocupación me conmueve. Te veré esta noche para la gala benéfica.

Apollo se dio la vuelta y salió de la habitación cerrando la puerta tras él.

Elle se giró y miró por la ventana hacia las vistas. Por alguna razón, le dio la sensación de que se encontraba en el interior de un terrario. Como si fuera una criatura guardada en una caja hasta que a Apollo le apeteciera sacarla y jugar con ella.

Cuando estaban en Nueva York tenía la sensación de que compartían el mismo espacio, que querían las mismas cosas. Pero ahora no. En casa de Apollo, en aquel despliegue de riqueza, se sentía vulnerable. Desvalida. Estaba en el país natal de Apollo, un lugar del que no conocía el idioma, y atrapada en aquella casa de la colina.

Se preguntó por un instante si aquello sería lo que él había sentido al entrar en su casa familiar cuando era adolescente, con su madre prometida a un hombre poderoso situado muy por encima de su posición social. Y fue recibido por una hermanastra tan consumida por sus propios sentimientos y sus problemas que se portó de una forma horrible. Que había hecho todo lo posible para que se sintiera incómodo en aquel lugar.

Elle parpadeó para librarse de aquella oleada de simpatía no deseada. Aquello pertenecía al pasado. Lo que hizo lo hizo por un temor infantil a la fuerza de sus sentimientos.

Apollo no estaba actuando como un niño que reaccionaba al miedo. No estaba reaccionando. Era un hombre en la batalla, y que Dios la ayudara si ella se interponía en su camino.

Capítulo 5

CUANDO Elle apareció aquella noche en lo alto de las escaleras con la túnica de seda que él le había enviado poco antes a su habitación, Apollo creyó que no tendría fuerzas para asistir a la gala. No, lo que deseaba era agarrarla y arrastrarla directamente a su dormitorio para quitarle la túnica.

Estaba hecha de seda verde esmeralda y parecía casi recatada por delante. Tenía el cuello alto y la delicada y brillante tela le acariciaba las curvas. Hacía ondas cuando bajaba las escaleras, flotando por su cuerpo como el agua.

Pero lo que estaba deseando ver Apollo era la espalda. Había seleccionado el vestido por aquella razón. Fiel a su palabra, su intención era hacer destacar su perfil dentro de la empresa. Así la humillación de su familia sería más aparente. Si nadie sabía quién era la familia St. James, si solo estaban al tanto de sus empresas, su caída en desgracia no tendría el impacto que Apollo buscaba.

Dentro de pocas semanas cortaría del todo los lazos. Dejaría que Elle se ahogara con su padre y con el resto de los St. James.

Era una crueldad. Pero lo que David St. James le había hecho al padre de Apollo, la manera en que había manipulado a su madre...

Forzó una sonrisa. Para practicar un poco el encanto. Después de todo, lo tenía, aunque no lo sacaba mucho a relucir cuando estaba con Elle. Podría tener cualquier mujer que quisiera, y lo había hecho antes incluso de convertirse en el hombre que era ahora.

Las chicas con las que salía en la época del instituto lo encontraban fascinante. Ninguna de ella había hecho el amago de llevarlo a su casa y presentárselo a sus padres. Pero muchas se lo habían llevado a cabañas en el jardín, asientos traseros del coche y habitaciones vacías. Tal vez no fuera un hombre del que pudieran presumir, pero sin duda lo encontraban atractivo para ciertos usos.

Elle había demostrado ya que no tenía ningún problema en utilizarlo para su satisfacción física aunque lo despreciara a nivel personal. Así que Apollo supuso que no tenía ningún sentido intentar mostrarse encantador ahora.

Cualquier pensamiento de mostrarse encantador o cualquier otra cosa se le borró completamente de la mente cuando vio el lateral de la túnica una vez que Elle llegó al final de las escaleras. No podía pensar en otra cosa que no fuera arrancársela del cuerpo en aquel mismo instante.

–Date la vuelta –le pidió con voz firme.

–¿Por qué? –preguntó ella girándose para mirarlo.

–Date la vuelta –repitió Apollo.

Un destello de color le surgió en el cuello y las mejillas. Estaba claro que, aunque se enfadara, disfrutaba un poco cuando le daba órdenes. Elle se giró despacio, seduciéndole al tomarse su tiempo. Y cuando reveló por completo la espada, a Apollo se le formó un nudo en el estómago. La sangre se le subió a la entrepierna.

La espalda de la túnica era una letra uve profunda que terminaba justo sobre la curva de su trasero, dejando la espalda entera al descubierto. Apollo quería llevársela arriba, no solo para hacer lo que quería con ella, sino también para evitar que ningún otro hombre pusiera los ojos encima de lo que consideraba suyo.

–No importa cuántos hombres haya habido antes que yo –dijo sin darse cuenta de que estaba hablando en voz alta hasta que ya fue demasiado tarde–. Ahora eres mía. Siempre has sido mía, Elle –las palabras sonaron más crudas y más reales de lo que pretendía.

Pero es que aquel sentimiento era más crudo y más real que todo lo que había sentido con anterioridad.

Apollo sabía lo que eran las ataduras. Veía con claridad la facilidad con la que se podían manipular los sentimientos. Pero lo que sentía por Elle iba más allá de sí mismo. Nunca podría destilarlo en una única emoción limpia. Ni siquiera podía apenas definirlo.

Necesitaba quemarlo. Para poder alejarse al final de la familia St. James sin mirar atrás.

Elle se giró para mirarlo.

–Eso es bastante posesivo –dijo.

–Has accedido a ser mi amante hasta que hayamos quemado la atracción que hay entre nosotros. Eso significa que eres mía. Y solo mía.

–No tengo por costumbre solapar amantes.

Apollo dio un paso hacia ella y salvó la distancia que los separaba. Le pasó el brazo por la cintura y le plantó firmemente la mano en el centro de la espalda para acercarla a sí.

–No lo permitiría.

–Puede que seas el dueño de mi empresa, Apollo –murmuró Elle–. Pero no eres mi dueño.

–Ahí es donde creo que te equivocas –aseguró él–. Porque por ahora esas dos cosas son lo mismo. Soy el dueño de la empresa y de ti.

–Eres un cavernícola.

Apollo le pasó la mano por la coleta y tiró de ella.

–¿Quieres que te arrastre hasta mi cueva?

Elle gimió, pero de excitación.

–Puedes fingir todo lo que quieras que odias esto que sucede entre nosotros. Puedes fingir que odias mis órdenes. Pero los dos sabemos que por muy escandalizada que parezcas, lo deseas. Me deseas a mí.

Elle se inclinó ligeramente y Apollo la mantuvo sujeta del pelo. Entonces ella deslizó los labios suavemente en los suyos antes de morderle.

–Tal vez te desee –reconoció–, pero no es la manera en que una mujer debería desear a un hombre.

–Suéltate el pelo.

–Me niego a obedecer todas tus órdenes.

Apollo la giró entre sus brazos y agarró la goma que le sujetaba la coleta, soltándole la melena.

Su cabello rojo le cayó por los hombros en suaves ondas.

Elle frunció el ceño.

–No puedo ir así. Tengo el pelo hecho un desastre.

–Es perfecto.

–No tengo que peinarme para complacerte.

–Tu pelo me gusta lo lleves como lo lleves –confesó él–. Pero así en lo único que puedo pensar es en hundir mis dedos en él. Atraerte hacia mí y besarte apasionadamente. Pero tú eres la que toma la decisión final de cómo llevarlo.

Elle alzó la barbilla.

–Bueno, ya está hecho –le miró entornando los ojos–. Yo te prefiero a ti sin corbata.

–Es un evento formal.

–Sin la corbata negra, con el primer botón de la camisa desabrochado de modo que pueda verte el vello del pecho, en lo único que puedo pensar es en abrirte lo que queda de la camisa para poder poner las manos en tus duros músculos. Para poder sentir el latido de tu corazón contra las palmas. No puedo pensar en nada más que en recorrerte la piel con la lengua. Pero –concluyó arqueando una ceja–, eres tú quien toma la decisión.

Apollo sonrió y empezó a quitarse la corbata.

Por mucho que fingieran ser únicamente socios empresariales durante la gala, Elle no pudo evitar pensar que parecía que habían tenido relaciones sexuales en el coche de camino. Ella tenía el pelo suelto y algo alborotado, y Apollo estaba sin corbata.

Y sin embargo no habían tenido ninguna actividad íntima.

Cuando se subieron a la limusina, Elle se apartó lo más posible de Apollo diciéndole que necesitaba espacio, tiempo para ordenar sus pensamientos. Y así era. Estaba agotada, con *jetlag*, y la siesta que se había echado antes había ayudado solo un poco. Aparte de eso, todavía tenía muy reciente su último encuentro. Y si se suponía que debían aparecer en público juntos de un modo simplemente amistoso, no quería tener en la cabeza la sensación de su tacto.

Pero ahora se arrepentía. Ahora lamentaba en cierto modo no haberse subido a su regazo en el coche y haber satisfecho su deseo por él.

La gala estaba maravillosamente organizada. Se celebraba en uno de los hoteles más antiguos y sofisticados de Atenas. Cuando llegaron, le sorprendió ver que el nombre de Apollo estaba por todas partes.

–No me dijiste que íbamos a asistir a *tu* gala benéfica.

Él se encogió de hombros y agarró una copa de champán de la bandeja de un camarero.

–No me pareció importante.

–Creo que es bastante importante. No sabía que hubieras creado una obra benéfica.

–Es muy aburrido. Promoción. El tipo de cosas que uno dice para mejorar su reputación ante la prensa. Es un juego para el que la mayoría de las veces no tengo paciencia. No me pareció oportuno tratar de convencerte de que soy el parangón de la virtud solo porque dono dinero a familias pobres.

–¿Lo haces? –a pesar de todo lo que sabía de él, de lo que sentía, no pudo evitar ablandarse.

–Sí. No me mires de ese modo. Soy un hombre de negocios. Créeme si te digo que esto me beneficia en términos financieros.

–¿Por qué te resistes tanto a parecer bueno?

–No me gusta crear expectativas en la gente.

Elle parpadeó.

–¿Por qué no?

–Para que no se lleven una desilusión.

Elle miró a su alrededor y se fijó en el interior de mármol del hotel, los impresionantes pilares, las radiantes lámparas de araña. Varias parejas ataviadas con trajes de alta costura se dirigían ya hacia la pista de baile. Elle deseó poder bailar con Apollo. Que la estrechara entre sus fuertes brazos y la sostuviera contra su pecho para poder disfrutar de su fuerza y de su calor unos instantes.

Sacudió la cabeza. Aquello era una locura. Lo único que quería de Apollo era que la dejara en paz y le permitiera llevar su empresa como le pareciera. Bueno, eso y un poco de sexo por sexo, hasta que quemaran la atracción que había entre ellos.

–Te voy a presentar a algunos de mis socios –dijo Apollo–. Y a ciertos miembros de la prensa que han acudido.

–Oh, qué amable –respondió ella manteniendo un tono ligero.

Apollo le puso la mano en la espalda y la guio hacia el grupo de personas que estaban allí de pie conversando. Hizo las presentaciones y apartó la mano de su cuerpo, dejando mucha distancia entre ambos.

Uno de los hombres era un empresario de Italia, otro un griego que tenía su negocio en Estados Unidos. Empezaron a hablar sobre mantenerse durante la época de Internet y las tiendas online, y Elle se metió tanto en la conversación que tardó un tiempo en darse cuenta de que Apollo ya no estaba a su lado. Frunció el ceño y miró entre la gente. Y entonces lo vio en la pista de baile bailando con una rubia que llevaba un vestido tan corto que prácticamente se le veía el trasero. Un trasero bastante bonito, tuvo que reconocer Elle.

Hizo un esfuerzo por cambiar el mal gesto. Sabía que tenían que actuar como si fueran solo socios empresariales, pero le daba la impresión de que aquello era llevarlo demasiado lejos.

–Veo que el señor Savas la ha abandonado –dijo el griego, que se llamaba Nikos Vardalos.

–En absoluto –respondió Elle aspirando con fuerza el aire–. No estamos aquí juntos. El señor Savas tiene derecho a bailar con quien le plazca.

–Entonces, ¿usted también es libre de bailar con quien le plazca?

Siempre podía decir que tenía novio. Lo hacía con frecuencia cuando se veía frente a un hombre que no le atraía en aquel tipo de situaciones. Pero Nikos era bastante guapo y Apollo estaba bailando con otra mujer. Lo cierto era que le resultaba bastante tonto quedarse escondida en una esquina.

–Absolutamente –afirmó–. Yo siempre soy libre de hacer lo que quiera.

Nikos se rio y le dirigió una sonrisa que sin duda solía provocar estragos en las mujeres. Desgraciadamente, con ella no. No en aquel momento.

Pero fingió y sonrió a su vez.

–Me gustan las mujeres que saben lo que quieren. ¿Y tú quieres bailar conmigo?

–Me encantaría.

Nikos extendió la mano y ella la aceptó entrelazando los dedos con los suyos. Tenía un tacto cálido, pero no le provocaba llamas como Apollo. En cierto modo resultaba reconfortante que un hombre la tocara así y no sintiera casi nada.

Cada sensación con Apollo, cada roce de su piel contra la suya era tan intensa y ardiente que no podía ignorarla ni fingir que no le había quemado. Nunca era nada sencillo. Siempre estaba el odio por encima del deseo. Y también la sensación de traición.

Porque había confiado en él.

Y porque estaba traicionando a su padre acostándose con aquel hombre. Deseándolo.

Pero no podía evitarlo. Siguió sin sentir nada cuando Nikos la estrechó, la llevó hacia la pista de baile y la atrajo hacia sí. Sintió un poco más al dirigir la vista hacia la sala y cruzar la mirada con la de Apollo, que los miraba con rabia a ella y a su compañero de baile.

A Elle le dio igual. No estaban juntos. Apollo estaba bailando con otra mujer y ella no estaba dispuesta a representar el papel de mujer florero.

Se agarró con más fuerza a los hombros de su compañero.

—Creo que Savas quiere matarme –murmuró Nikos con tono de humor.

—Oh, no creo –respondió Elle–. Además, nosotros solo somos socios, como te dije antes. Y ninguno de los dos está de acuerdo con mezclar los negocios y el placer.

—Excelente. Entonces nunca haré negocios contigo.

Elle se rio.

—Bueno, eso sería una pena. Ya que estás en la industria textil, me interesaría mucho colaborar contigo.

—Tal vez sea de mal gusto por mi parte hablar de esto mientras bailamos –dijo Nikos–, pero cuéntame más.

Estuvieron las dos siguientes canciones ignorando la música y hablando de cómo podrían enlazar sus dos empresas. Elle decidió que Nikos le caía muy bien aunque no le acelerara el corazón.

Ojalá fuera así.

Era griego, rico y tenía un acento precioso. Si tuviera que elegir un tipo de hombre, sería aquel. Pero no sentía nada. Absolutamente nada. Resultaba extremadamente decepcionante.

Pero aunque no había logrado que otro hombre despertara deseo en ella, había conseguido la promesa de un buen contacto empresarial. Se separaron cuando acabó la canción y Nikos no trató de acercarse a ella de un modo romántico. Seguramente percibió la falta de química entre ellos también.

Elle se acercó a un camarero para agarrar una copa cuando Apollo literalmente la bloqueó.

—¿Te estás divirtiendo?

–Es una fiesta encantadora –contestó ella.

–Sí. Te dije que estarías conmigo y solo conmigo mientras trabajábamos en esta mutua atracción, ¿no es así?

–Lo siento, no sabía que bailar un vals fuera lo mismo que tener un encuentro sexual.

–Estás jugando con fuego –afirmó Apollo.

–Entonces tú también. ¿Crees que no me he fijado en lo guapa que es tu compañera de baile?

–Eso es lo que se espera de mí.

–Y tú quieres que mi cara salga en el periódico. Por lo tanto, tendré que hacer algo que sea noticia. Me compraste este vestido que me deja prácticamente desnuda y ahora actúas como si llamar la atención no fuera algo esencial en tu plan.

–Lo único que tienes que hacer para conseguir atención es entrar en los sitios, *agape*. Créeme.

–Eso me halaga, aunque me parece un poco excesivo.

–No me importa que te parezca excesivo, es la verdad –Apollo miró a su alrededor–. Aunque tú no lo hayas notado, yo sí. Todas las miradas de los hombres y también las de alguna mujer se han clavado en ti desde el momento en que entraste en la sala.

–¿De veras?

–Sí. Y cuando hagas un donativo muy generoso en nombre de la empresa, te convertirás todavía más en la comidilla de la fiesta.

Elle abrió la boca y volvió a cerrarla al instante.

–No sabía que ibas a hacer uso de mi dinero.

–Por supuesto que sí. Además es para una buena causa. No creo que te suponga ningún problema.

–Claro que no –Elle se dio la vuelta para marcharse y Apollo la agarró del brazo.

–Nos veremos al final de la velada. Pásalo bien. Y no olvides hacer tu donativo.

–Claro que no.

–Supongo que Luka querrá bailar contigo también.

–¿Vas a ir a buscarle?

–No, pero te sugiero que vayas tú.

–¿Ahora me estás animando para que baile con otros hombres? No te entiendo.

–Creo que tienes razón. Deberías hacer lo que haga falta para que tu foto salga en los periódicos. Y yo haré lo que tengo que hacer para llamar también la atención. Nos vemos al final de la velada.

Capítulo 6

CUANDO el coche se detuvo en la puerta de casa de Apollo más tarde aquella noche, estaba de un humor de perros. Elle había hecho exactamente lo que le había pedido y había bailado con todos los hombres de negocios que pudo. Y los había encandilado a todos. Sin duda había conseguido lo mismo con la prensa.

Había hecho exactamente lo que le había dicho y estaba furioso. Pasar toda la noche sin tocarla había sido una tortura. Pero estaba preparado para seguir adelante con su acuerdo. Para recordarle por qué estaba allí y con quién.

No habían hablado en el coche de regreso a la villa. Elle exudaba indignación a su lado, pero a él no le importó.

Cuando salieron del coche y entraron en la casa, se giró hacia ella.

—Quiero que vayas a tu habitación y abras el primer cajón de la cómoda. Encontrarás algo que ha dejado mi personal de servicio para ti. Prepárate para mí.

Apollo entró entonces en su despacho, se sirvió un vaso de whisky y se lo bebió de un trago desesperado.

Recorrió la estancia arriba y abajo y trató de entender qué había sucedido exactamente para que se sintiera tan agitado.

Celos.

No recordaba cuándo fue la última vez que sintió celos. Si es que los había sentido alguna vez.

Cerró los ojos y permitió que un viejo recuerdo se apoderara de él. Diablos, el bikini. Sí, en aquel momento se sintió celoso de un modo extraño. Del hecho de que fuera joven y tuviera toda la vida por delante. Del hecho de que los hombres no la hubieran descubierto todavía, y de que él no pudiera formar parte de ese descubrimiento. Habría dado cualquier cosa con tal de poder ser el primer hombre que la tocara. Por ser quien despertara su sensualidad. Sus suspiros, sus gemidos.

Por ser quien le proporcionara su primer clímax.

Sí, habría dado cualquier cosa por ser aquel hombre. Y sintió celos. De un hombre que no existía. Pero en cierto modo, cada hombre que había bailado con ella esta noche se había convertido en uno de esos hombres sin rostro que habían llegado antes que él.

Los odiaba a todos aunque no supiera quiénes eran.

Apollo dejó la chaqueta del traje en el suelo y salió del despacho para subir las escaleras hacia el dormitorio. Más le valía que estuviera lista para él. Porque no iba a esperar ni un momento más.

Abrió la puerta del dormitorio sin llamar y Elle se giró para mirarle. Todavía llevaba puesto el vestido de la gala.

–Creí haberte dicho que te cambiaras –dijo.

Los ojos verdes de Elle brillaron con furia.

–Sí, lo hiciste –dijo–. Pero no tengo ninguna intención de vestirme para interpretar una extraña fantasía que tú tengas.

–¿Te ofende la ropa interior cara?

–Lo que me ofende es la idea de no haberla escogido yo. La idea de ser intercambiable con cualquier otra mujer.

–¿Qué tienen que ver mis otras amantes con esto?

–Todo. Me estás tratando como si fuera una de ellas.

Apollo apretó los puños. El corazón le latía con tanta fuerza que le quemaba.

–¿Y tú quieres ser especial? ¿Es eso?

A Elle se le sonrojaron las mejillas.

–No quiero ser igual. No quiero ser solo otro cuerpo caliente de los muchos que podrías tener.

–¿Sigues dudando de mi deseo hacia ti? –Apollo se desabrochó un botón de la camisa y luego otro, quitándosela mientras avanzaba hacia ella como un depredador–. ¿Qué debo hacer para demostrarte que soy tu servidor, *agape*? ¿Qué tengo que hacer para demostrarte que eres la dueña de mi cuerpo?

Ella se sonrojó todavía más.

–¿Soy la dueña de tu cuerpo?

–¿Crees que yo quiero esto? ¿Crees que me gusta ser esclavo del deseo que siento por una St. James? Tú crees que me odias, pero imagínate cuánto te odio yo. A tu familia. A tu apellido. Todo lo que representas.

Las palabras le salieron sin pensar. Estaba dando más información de la que quería. Nunca fue su intención sacar todo aquello con Elle. No quería hablar de nada de aquello hasta decirle que se marchara y ordenarle que recogiera sus cosas y dejara el despacho vacío. Hasta que hubiera lanzado sobre ella su última traición.

Pero no se detendría ahora. No podía.

–Si alguna mujer de la fiesta de hoy me hubiera hecho sentir una fracción de lo que siento por ti, me la habría llevado al recoveco más cercano para subirla la falda. Desgraciadamente, solo respondo a ti. Me tienes pillado, Elle. Espero que esta confesión te haga feliz.

Ella abrió los ojos de par en par.

–No lo entiendo. Tú eras parte de nuestra familia. ¿Cómo es posible que sientas eso?

–Es fácil. Tú no entiendes la clase de hombre que es tu padre, ni la clase de hombre que soy yo. Cuando tenías diecisiete años y te paseabas por la casa familiar en bikini nada me habría gustado más que tumbarte en el suelo. Yo era un hombre de veinte y te habría poseído a ti, a la dulce virgen que eras. Y aunque sé que no está bien, odio a todos los hombres que vinieron antes que yo. Lamento no haberte tomado entonces. Fueron años perdidos, Elle. Podría haberme librado del deseo que siento por ti mucho antes. Pero no lo hice. ¿Por qué? ¿Para preservar una semblanza de conciencia que ambos sabemos que no tengo? Absurdo. Pero en aquel entonces todavía albergaba la ilusión de ser un hombre bueno.

–¿Me... me deseabas entonces?

–¿No lo sabías? No, por supuesto que no. Estabas ciega. Una virgen joven.

–Deja de decir eso. No era ninguna tonta. Pero es que parecías enfadado, no...

–Siempre ha sido así entre nosotros.

–En cualquier caso, no soy ninguna tonta.

–Entonces, ¿estaba equivocado? Por favor, no me digas que ya tenías experiencia o me colgaré por haber sido tan idiota como para no acostarme contigo.

–¿Por qué actúas así?

Apollo no lo sabía. No tenía ni la menor idea. Lo único que sabía era que estaba furioso. Por lo sucedido aquella noche. Los hombres que la habían tocado. Las órdenes que se había negado a obedecer. Por su comportamiento de nueve años atrás. Por su comportamiento actual.

–¿Por qué te niegas a ponerte la lencería que he comprado para ti?

–Porque no quiero ser una de tus zorras –afirmó Elle–. Porque era virgen cuando me tomaste en la habitación del hotel. Tus celos son infundados, pero los míos no.

Sus palabras fueron como un puñetazo en el estómago.

–¿Virgen?

–Al parecer eso es importante para ti. Al parecer eres muy posesivo aunque no te hayas ganado el derecho a serlo.

Apollo gimió y la estrechó entre sus brazos, agarrando los extremos de la delicada tela del vestido y bajándoselo por los hombros. Dejó sus senos al descubierto.

–¿Soy el único hombre que te ha poseído?

–Sí –murmuró ella en un hilo de voz.

–Eso me complace mucho más de lo que debería –afirmó Apollo tomándole la barbilla entre el dedo pulgar y el índice para levantársela–. Durante todo el camino de regreso a la villa he ido pensando en diferentes maneras de matar a todos y cada uno de los hombres que han bailado contigo estaba noche. En mi cabeza todos eran tus amantes previos. Y yo quería ser el primero que te enseñara lo que es el placer.

Elle se mordió el labio como si no quisiera hablar. Tal vez quisiera soltar una palabrota o confirmarle que realmente había sido él quien le enseñó lo que era el placer. Apollo tuvo la sensación de que en aquel momento no quería gritarle ni tampoco decirle nada agradable a lo que se pudiera agarrar.

–Te he enseñado lo que es el placer, ¿verdad? Contra la pared de una habitación de hotel. Maldita sea, Elle, no me lo dijiste.

–¿Habría supuesto alguna diferencia?

No. En absoluto. Ni a lo que había hecho antes ni a lo que tenía que hacer ahora. El hecho de que Elle hubiera sido virgen no cambiaba nada. Era ajena a las inmoralidades de su padre antes y seguía siéndolo ahora. Haber sido su único amante le producía una sensación de orgullo masculino, de conquista, pero no cambiaba el hecho de que finalmente la traicionaría. La utilizaría para hacer daño a su padre.

Como el padre de Elle había hecho daño al suyo. Como había destrozado a su madre. Y al propio Apollo.

Ellos no eran más que daños colaterales de los pecados que había cometido el padre de Elle. Así que ella sería lo mismo. No era justo, pero nada de aquello era justo.

–Sí –mintió Apollo–. Habría supuesto una diferencia. Te habría tratado con más cuidado.

Pero no era verdad. No cambiaría aquel fiero encuentro en el hotel por nada. Cuando Elle desató toda su rabia contra él, todo su deseo. Había sido la experiencia más singular de su vida. Aquel momento le pertenecía, y nadie podría robárselo nunca por mucho que se hundiera en el fango.

Era un villano, y ahora lo aceptaba plenamente.

Se inclinó y besó a Elle con suavidad, con dulzura. Ella le agarró la cara e intensificó el beso.

Apollo la tomó en brazos, la llevó a la cama y la tumbó sobre el suave colchón, quitándole la túnica del cuerpo. Aquella noche ya no hablarían más.

Si por él fuera, no volverían a hablar hasta que se hubiera saciado de ella. Y si eso significaba pasarse las próximas dos semanas en la cama, eso es lo que harían.

Capítulo 7

LAS ÚLTIMAS dos semanas en la villa de Apollo habían sido sorprendentemente agradables. Resultaba extraño convivir con él y no pelearse. A Elle le recordó a un tiempo distinto. Un tiempo más sencillo, cuando se caían bien. Cuando ella le miraba con admiración. Cuando al parecer Apollo sentía una cierta atracción hacia ella que había enterrado.

Tal vez habían convivido de manera tan pacífica porque llevaban vidas esencialmente separadas. Menos cuando estaban haciendo el amor. Lo que no quedaba confinado a las noches ni a la cama. Elle tenía la certeza de que Apollo la había tomado en cada superficie de la villa entera.

No se quejaba. Había sido... bueno, había sido la culminación de sus más calenturientas fantasías. Resultaba extraño. Como si estuviera llevando una vida de prestado, una vida de la que no podría disfrutar a largo plazo pero que era en muchos sentidos preferible a la que siempre había vivido. Seguía ocupándose de sus responsabilidades. A veces trabajaba en la oficina de Apollo, otras en el despacho que tenía en casa cuando él no estaba.

No podía quejarse de las vacaciones. Por supuesto, también era difícil justiciar el hecho de que estuviera durmiendo con su enemigo. Aunque no literalmente, porque no dormían juntos, tenían relaciones sexuales y luego él se marchaba.

–Así hago yo las cosas, *agape* –dijo riéndose ella sola por lo mal que imitaba la voz de Apollo.

Llamaron a la puerta y se sobresaltó. Elle se preguntó si no le habría convocado al pensar en él. Pero se había ido a trabajar un par de horas atrás, así que dudaba que ya hubiera vuelto.

Abrió la puerta y se encontró con una de las doncellas, Maria, que tenía un paquete en la mano.

–Esto es para usted, señorita –dijo.

–Ah, gracias –todo el cuerpo de Elle se calentó al darse cuenta de qué era.

Cuando Maria se marchó, cerró la puerta y abrió a toda prisa el paquete. Dentro había un bikini rosa fucsia. Llevaba varios días planeando aquello. Tal vez fuera demasiado juvenil, pero quería tener la oportunidad de rescatar el momento que ambos se habían perdido y que parecían no haber olvidado.

Se lo puso enseguida y se miró en el espejo de cuerpo entero. Se le sonrojaron las mejillas. No tenía costumbre ponerse cosas tan reveladoras. Aunque sinceramente, tras pasar tanto tiempo desnuda con Apollo no debería sentir pudor.

Pero lo sentía. Todo aquello sucedía al calor del momento. Esto era... premeditado. Nunca había hecho ningún juego de seducción con él. Pero ahora buscaba algo más. No podía negar que lo que sentía por él no era odio en aquel punto. Sería mucho más fácil en ese caso.

Sentía... Bueno, sentía muchas cosas.

Aspiró con fuerza el aire, abrió la puerta del dormitorio y se dirigió por el pasillo hacia las escaleras que daban a la piscina. Su intención era estar allí cuando Apollo volviera. Quería darle la oportunidad de tomar una decisión diferente esta vez cuando la viera en bikini.

Se deslizó en el agua templada y nadó hasta el extremo de la enorme piscina para mirar hacia la vista del mar. Era un lugar precioso. Nunca pensó que llegaría a sentirse tan a gusto en la guarida de Apollo.

No se podía decir que estuvieran más unidos, no exactamente. Pero... tenían algo más que antes. Para empezar, podrían estar el uno en presencia del otro cinco minutos enteros sin gritarse. A veces incluso sin arrancarse la ropa, pero solo a veces.

La idea la hizo sonreír. Alzó el rostro hacia el cielo para recibir la caricia del sol.

—¿Qué estás haciendo aquí?

—He terminado de trabajar pronto —dijo Elle girándose. El corazón le latió con fuerza contra las costillas cuando vio a Apollo allí de pie todavía vestido de traje.

—Ven aquí —dijo Apollo con las mandíbulas apretadas y la vista clavada en ella.

Elle apoyó los brazos en el borde de la piscina y arqueó ligeramente la espalda, sacando los pechos del agua.

—Estoy disfrutando del baño.

—Elle —dijo Apollo con tono de advertencia—, no me hagas entrar a buscarte.

—Creo que eso me gustaría. Es lo que tendrías que haber hecho nueve años atrás.

Apollo sonrió. Fue una sonrisa genuina, ni cargada de cinismo ni burlona. Elle sintió que se le expandía el corazón dentro del pecho.

Apollo empezó a quitarse el traje, empezando por la chaqueta, luego la corbata y después se desabrochó los botones de la camisa.

Elle había tenido tiempo de sobra durante las últimas semanas para familiarizarse con aquel físico masculino tan espectacular, pero la familiaridad no le quitaba importancia.

En absoluto.

Apollo arqueó una ceja y deslizó las manos despacio hacia la hebilla del cinturón para abrirla. A Elle se le secó la boca y se contuvo para no acercarse a él. Quería obligarle a que él fuera a buscarla.

Apollo se abrió el cierre del pantalón y se bajó la cremallera despacio sin apartar en ningún momento la mirada de la suya. Se bajó los calzoncillos por las estrechas caderas y se quedó expuesto ante ella. Apollo era todo. Perfección absoluta. Todo lo que había buscado en un hombre y más.

Él se acercó despacio a la piscina y se metió. El agua le cubrió el cuerpo, ocultándoselo a Elle.

—Me has dejado sin espectáculo —dijo ella cuando lo tuvo cerca.

—Pensé que estaría bien acercártelo —contestó Apollo rodeándole la cintura con los brazos para atraerla hacia sí.

—Ah. Pues te lo agradezco.

—Creo que puedes hacer algo más que agradecérmelo —murmuró Apollo mirándole directamente los senos, los puntiagudos pezones que se apretaban contra la fina tela del bikini.

—Te lo pongo demasiado fácil —reconoció Elle. Pero no sonaba en absoluto arrepentida.

—No me quejo —contestó Apollo bajando la mano hasta colocarla en su trasero.

—Por supuesto que no. Estás muy seguro de ti mismo, y lo único que yo hago es reforzar esa idea.

—Me pusieron el nombre de un dios. Vine al mundo con una imagen de mí mismo bastante inflada.

Elle le puso una mano en el pecho.

—Encargué este bikini por ti.

Una chispa iluminó la oscuridad de sus ojos.

—Eso pensé.

—Contamos con la oportunidad de tomar una decisión diferente —Elle recorrió con el dedo las gotas de agua que le resbalaban por los músculos del pecho—. Ojalá hubiera actuado de forma distinta entonces. Ojalá hubiera sido un poco más lanzada.

—Eras muy joven. No tendrías que haber hecho nada. Y yo tampoco.

—Era joven, pero sabía lo que quería. Y eso no ha cambiado —Elle lo miró—. Sigo deseándote. Te he deseado todo este tiempo, incluso cuando estaba enfadada contigo.

Apollo le agarró con más fuerza la cintura, le tomó una mano y se la llevó a los labios.

—Sí, lo sé. Y créeme, el sentimiento es mutuo.

Aquellas palabras pronunciadas de forma ronca y deliciosa le provocaron una oleada de placer. No fue algo estrictamente físico, sino más profundo.

Desgraciadamente, toda aquella situación iba más allá de lo físico. Mucho más allá de lo que Elle hubiera querido.

Una sonrisa curvó entonces los labios de Apollo.

—Míranos. Hemos logrado mantener una conversación de varios minutos sin pelearnos.

—Un milagro.

—Tal vez. Aunque imagino que estamos evitando la tentación de asignarle algún componente divino a la naturaleza de lo que ocurre entre nosotros.

—Tal vez.

Tenía razón. Lo que compartían era algo carnal, lujurioso.

No, no solo eso. También era bello.

E imposible.

Era su hermanastro, y además su enemigo. Lo que lo hacía prácticamente imposible era la parte del enemigo. El asunto del hermanastro no significaba apenas nada. No habían crecido juntos. No eran de la misma sangre.

Ni tampoco había afecto. Al menos por parte de Apollo.

Elle cerró los ojos. No era capaz de mirarle mientras se le ocurrían pensamientos así. Apollo salvó la distancia que los separaba y apretó los labios contra los suyos. Y Elle disfrutó de aquel contacto más cálido que el sol, más refrescante que el agua en la que estaban.

El deseo se apoderó de ella y sintió un nudo en el estómago. El pulso empezó a latirle con fuerza en la unión de los muslos.

Había pasado poco más de un mes desde su primer encuentro en aquella habitación de hotel en Nueva York. Solo un mes desde que estuvo con un hombre por primera vez. No le había costado mucho trabajo acostumbrarse. Saber exactamente lo que quería. Aprenderse el cuerpo de Apollo y saber lo que el suyo deseaba.

Apollo le deslizó la mano en la parte inferior del bikini y la cubrió con la palma de la mano. Elle adoraba sus manos. Le gustaba sentirlas en cada centímetro de su cuerpo. Le gustaba mirarlas. Había pasado mucho tiempo fantaseando sobre ellas.

Como con cada rincón de su cuerpo.

Muchas cosas no cumplían con las expectativas que había sobre ellas. No era el caso de Apollo. Él había sobrepasado todas sus fantasías.

En comparación con la realidad, sus fantasías sobre cómo sería el sexo con él parecían infantiles.

Ella sabía que le iba a gustar la experiencia, que le encontraría atractivo. Lo que no imaginó fue que sería algo tan salvaje, que le dejara tanto al descubierto. No se dio cuenta de que la desnudaría por completo, y no solo en cuanto a la ropa. Creía que sería algo puramente físico.

Pero ese era un pensamiento muy simplista. El cuerpo de Apollo era la pieza que le faltaba al suyo. Era lo que ansiaba en lo más profundo de la noche, la razón por la que a veces se sentía vacía. Porque deseaba desesperadamente sentirlo dentro de ella. Solo a él.

Entreabrió los labios a la espera de que Apollo los conquistara, que la invadiera. Pero él se mostró delicado y le deslizó despacio la lengua por la suya, provocando una aguda punzada de deseo en ella.

Elle le pasó los dedos por el pelo y le besó con más fuerza, apretando firmemente el cuerpo contra el suyo todo lo que pudo. Sabía que si algún miembro del servicio salía a la piscina en aquel momento se encontraría con un espectáculo, pero lo cierto era que tenía el cerebro demasiado nublado por el deseo como para controlar la realidad. No le importaría. Ni por pudor ni por herir la sensibilidad de alguien. Solo existía aquello, solo existía Apollo.

Perdía toda sensación de decoro, de lealtad y de... todo cuando estaba con él.

Se convertía en otra persona. En una versión diferente de sí misma.

No pudo evitar preguntarse qué habría pasado si hubiera dado los pasos para salvar la distancia que había entre ellos nueve años atrás. Si se hubieran olvidado de la decencia en aquel entonces.

Pero no importaba. Importaba el presente. Trató de

dejar a un lado lo ocurrido en los años anteriores. La brecha que se había abierto en la familia.

Su padre, la madre de Apollo y ella a un lado, y Apollo en el otro.

Elle no quería pensar en ellos. No en aquel momento. No quería pensar en el padre para el que nunca sería lo suficientemente buena. El padre que había preferido a su hijastro antes que a ella.

Y seguramente seguía haciéndolo. Aunque Apollo se hubiera llevado un pedazo del imperio de David St. James, seguramente en el fondo celebraba la crueldad de su hijastro.

Tal vez Apollo les había traicionado, pero nunca le hizo sentir que le gustaría que fuera otra persona. Nunca le hizo sentir que no era lo suficientemente buena. Se regodeaba en su cuerpo, en la atracción que había entre ellos. Era más de lo que había recibido nunca de... nadie.

Aquel pensamiento la llenó de una intensa y repentina emoción. Lo que había entre ellos, fuera lo que fuera, le alimentaba el alma como ninguna otra cosa.

Por una vez, Elle no buscaba aprobación. No intentaba vivir de cara a las expectativas de nadie.

Apollo era un bálsamo para su alma. La tomó en brazos y la estrechó contra sí como si sus brazos se hubieran creado para acunarla. Como si tuviera la altura y el tamaño perfectos para él. Como si estuvieran hechos el uno para el otro desde el principio.

Apollo la sacó de la piscina y entró con ella en la casa. Subieron las escaleras y en un instante llegaron a su dormitorio.

—Voy a mojar toda la alfombra —señaló Ella cuando la dejó en el suelo.

—Me da igual —Apollo sonrió y deslizó un dedo por la línea del bikini—. ¿Sabes qué? Esta era mi mayor fantasía. Tú con este bikini, mostrando tu preciosa y pálida piel. ¿Sabes una cosa? Ojalá hubiera sabido que eras virgen. Me habría regocijado más. Estaba obsesionado con ser el primero en tenerte. Con enseñarte lo que es el placer.

—Lo hiciste —confesó Elle.

Le había ocultado aquellas palabras porque no estaba preparada para compartirlas con él, para confesarle lo mucho que había significado para ella que fuera su primer amante.

Pero ya no tenía sentido seguir protegiéndose. No quería hacerlo.

—Siempre fuiste tú a quien yo deseaba —reconoció—. Aunque dijera que te odiara, aunque estuviera tan enfadada la primera vez que te besé, para mí siempre fuiste tú. Por muchos años que hubieran pasado, a pesar de las cosas tan feas que nos hemos dicho, siempre fuiste tú.

Apollo sabía que no se merecía las palabras que Elle acababa de decirle. La estaba utilizando. La había usado durante aquellas dos últimas semanas para satisfacer su deseo por ella. Ganando tiempo para poder vengarse. Llenando las horas con los placeres de su cuerpo sabiendo que al final la traicionaría.

No había nada más. Lo que había entre ellos no podría durar. Y él no se desviaría del curso de su venganza contra la familia de su padrastro. Había tomado una decisión, y habría daños colaterales.

Pero no podía pensar en eso ahora. Solo quería saborear las palabras de Elle. Atesorarlas. No podía apartar la mirada de ella, de sus deliciosas y pálidas curvas apenas cubiertas por el bikini.

Y pensar que lo había comprado por él... resultaba extraño. Le creaba una sensación cambiante en el centro del pecho.

Lo tomaría como un regalo, tanto si lo merecía como si no. Porque, como ya le había dicho a Elle, allí el villano era él. Nada podría cambiar eso.

Lenta, muy lentamente, le desató la parte de arriba del bikini y dejó al descubierto sus preciosos senos. Apollo se inclinó y deslizó la lengua por el erguido pezón antes de succionarlo con la boca.

–Más dulce que la miel –susurró con un tono que hasta a él mismo le resultó extraño.

Elle se estremeció y Apollo reconoció el placer que le recorría el cuerpo. Estaba empezando a aprender a leerla. A entender qué le hacía gemir, qué la llevaba cerca del clímax. Había aprendido a saborearla, a llevarla al filo del éxtasis.

Nunca antes había tenido una amante de tanto tiempo. Siempre terminaba con todas tras un par de noches. Un par de semanas era algo insólito para él. Pero Elle era especial. Era una fantasía hecha realidad, todo lo que había imaginado que podría ser y más.

Era una lástima. Apollo lamentó no haberse llevado una desilusión. Que Elle no hubiera hecho algo para confirmar que hacía bien en llevar a cabo su plan de venganza y utilizarla como tenía pensado.

La atrajo hacia sí y le desató los nudos de la parte inferior del bikini y se la quitó. Cayó de rodillas delante de ella, repentinamente abrumado por el deseo. Hundió el rostro entre sus muslos y la saboreó larga y profundamente, disfrutando del sabor de su deseo con la lengua. Tenía sed de Elle, estaba desesperado. Deslizó un dedo en el interior de su húmedo canal y luego otro, disfrutando de cómo ella se retorció contra su mano, de los gritos de placer que escapaban de sus labios.

Apollo pensó que iba a perder la cabeza. No se conocía a sí mismo. Ninguna mujer le había sacudido nunca de tal forma, ni le había poseído así.

La agarró de las caderas y la sostuvo con fuerza contra la boca mientras continuaba dándole placer hasta que se convulsionó con fuerza. Hasta que gritó y lloró, suplicándole el alivio.

Entonces Apollo se colocó encima de ella, le capturó la boca con la suya, la atrajo hacia sí para que sintiera la fuerza de su erección contra el vientre. La besó hasta que se mareó. Hasta que Elle le suplicó que la tomara.

Entonces la situó entre sus piernas y colocó la punta de su erección en su húmeda entrada. Entró en ella con facilidad. Sintió el calor y la estrechez. Estaba hecha para él.

Mientras se saciaba completamente en su interior tuvo la sensación de que estaba en casa. De que estaba completo por primera vez.

Una emoción profunda y fuerte se le abrió paso en el pecho, una sensación de *déjà vu* que no quiso investigar. Aquello era nuevo y familiar al mismo tiempo. Y lo rechazó. Pero a medida que su excitación crecía, cuando ella flexionó las caderas bajo las suyas para recibir cada embate, se dio cuenta de que no podía mantener el control y las emociones a raya.

Elle se entregó a su propio éxtasis y el suyo lo atravesó como una oleada. Y mientras se dejaba arrastrar, Apollo solo podía pensar en una cosa. Elle. Ella era el puerto en la tormenta, la estrella polar que le había guiado durante años. Una estrella de la que se había apartado.

Aquella certeza le dejó como si tuviera el pecho lleno de vidrios rotos. Miró a Elle, a sus labios hinchados por sus besos, su mirada saciada. Que le miraba como si él tuviera alguna respuesta.

No las tenía. En aquel momento solo tenía preguntas.

—Quédate conmigo esta noche —le pidió Elle—. ¿Te quedas?

El terror se apoderó de él, pero no pudo hacer otra cosa que asentir y estrechar a Elle entre sus brazos.

Capítulo 8

CUANDO Apollo se despertó fuera empezaba a estar gris. Y Elle estaba curvada alrededor de su cuerpo como un gato. No dudó ni por un instante de con quién estaba acostado, con quién se había dormido.

Nunca había estado tan unido a una mujer como para pensar siquiera en bajar la guardia tanto como para dormirse con ella. En el pasado, cuando terminaba de hacerle el amor a una mujer, se marchaba. No había motivo para quedarse. El sexo, según su experiencia, podía ser algo completamente impersonal. Dormir con una persona le parecía una intimidad a la que no quería enfrentarse.

Pero había dormido con Elle después de que ella le pidiera que se quedara. No imaginó que se dormiría. Pero resultó natural estrecharla entre sus brazos mientras ambos se adormilaban tras el placer que habían compartido.

De pronto el pánico se apoderó de él. Tenía un plan. Un plan para conseguir que la familia St. James pagara por los pecados cometidos contra su familia. Para vengar la muerte de su padre. La pérdida de la fortuna de su familia. La extraña relación que se había visto obligada a mantener la madre de Apollo con David St. James.

Y todas las indignidades que él había sufrido. Cada

momento que le habían hecho sentir que no se merecía ocupar un lugar en el prestigioso internado al que le enviaron. Todas las ocasiones que había tenido que defender su sitio en una sala de juntas porque procedía de un ambiente humilde.

Elle estaba debilitando ese plan. Estaba minando su determinación. Y Apollo no podía consentirlo.

Se levantó de la cama y se pasó los dedos por el pelo mirando a su alrededor. Recordó entonces que no tenía ropa en el dormitorio de Elle. Abrió la puerta y salió al pasillo desnudo. Todo el personal de servicio se habría marchado ya a casa.

En lugar de ir a su dormitorio se dirigió al despacho y agarró la botella de whisky que estaba en el estante. Se sirvió una generosa cantidad y le dio un buen trago.

Había tomado la decisión de seguir con Elle hasta que la atracción entre ellos se esfumara, pero se había dado cuenta de que entre ellos estaba surgiendo algo más, algo que no podía sofocar tan rápidamente.

La rabia se apoderó de él. No quería dejarla. No podía imaginarse diciéndole que se fuera. No volver a tocarla. No volver a pasar una noche con ella. Agarró el vaso lleno de whisky hasta la mitad y lo arrojó contra la pared sin ningún remordimiento.

El hecho de que la idea de dejar marchar a Elle le hiciera sentir tan indefenso y tan furioso era la mayor prueba de que tenía que dejarla.

Si iba a llevar a cabo su venganza, tendría que hacerlo enseguida.

Se habían olvidado de ensombrecer las ventanas. Ese fue el primer pensamiento de Ella cuando se despertó a la mañana siguiente. El segundo fue que estaba sola. Fiel a su palabra, Apollo no había pasado la noche con ella. No debería sorprenderla, pero tras haberle confesado que era su primer amante, esperaba... algo.

Seguramente era una idiota.

Por desear que las cosas fueran distintas. Por confiar en que algo había cambiado entre ellos. No sabía qué.

Se sentó y se llevó las sábanas al pecho. Y de pronto Apollo entró por la puerta como una exhalación.

—Buenos días —dijo con los labios apretados.

—Buenos días —respondió Elle.

Durante todo el tiempo que ella llevaba allí, nunca había entrado en la habitación sin anunciarse. Nunca había ido a menos que fuera para hacer el amor. Pero ahora no daba la impresión de tener eso en mente. En absoluto. Parecía... parecía que lo persiguieran los demonios.

—Espero que hayas dormido bien —dijo.

—Sí —contestó Ella. Una sensación de incomodidad se le asentó en el centro del pecho. No sabía por qué. Solo sabía que algo no iba bien.

—Creo que es hora de que te vayas —afirmó Apollo con frialdad.

—Pero... no lo entiendo —dijo ella—. Ayer...

—Ayer fue ayer. Y hoy es hoy.

Elle pensó en la noche anterior, lo que había sucedido entre ellos. ¿Había hecho algo mal?

—No estoy lista para irme —afirmó—. Acordamos que teníamos que quemar esto y yo no creo que lo hayamos quemado.

—Tenemos opiniones diferentes —respondió él con tono duro—. Para mí ya se ha terminado.

—Apollo...

–Además, también quedas relevada de tu puesto como directora ejecutiva de *Matte*.

–¿Qué? –Elle no podía creer lo que estaba oyendo. Estaba desnuda en la cama tras haber pasado la noche haciendo el amor con él y ahora Apollo la despedía.

Dos semanas. Había pasado dos semanas con aquel hombre. Entre sus brazos. Besándolo, compartiendo su cuerpo con él... compartiéndolo todo.

–Ya me has oído –continuó Apollo con tono firme–. Me he cansado de esta farsa, Elle. Lo cierto es que tenía pensado prolongar esto un poco más. Creía que iba a sentir un gran placer cuando te dijera que solo te estoy utilizando para hacer daño a tu padre. Yo planeé ponerte al frente de la empresa, que se te viera más para que cuando yo dejara muy claro que había llevado a tu padre a la ruina, el mundo supiera exactamente a quién me refería y lo que eso significaba. Pero sinceramente, esto me resulta demasiado cansado. Así que tendré que contentarme con una venganza en soledad.

A Elle le daba vueltas la cabeza. ¿Venganza? No se había hecho ilusiones, sabía que Apollo no sentía ningún afecto por ella, pero si alguien debía buscar venganza esa era ella.

–Me... me has utilizado.

–¿De verdad creías que te deseaba?

Elle sintió que le estaba clavando un puñal en el corazón.

–Por supuesto que sí. Por lo que yo sé, los hombres no pueden fingir –señaló hacia sus pantalones–. Tienen que sentirse al menos atraídos por la mujer.

–Las mujeres no son las únicas que podéis tumbaros y pensar en otra cosa. Lo que yo de verdad deseaba, Elle, era que tu padre supiera que se lo había quitado todo. ¿Qué pensaría si supiera...?

–No te atreverás, malnacido.

–Tengo a su empresa y a su hija.

–A mí no me tienes –dijo ella sintiendo un nudo en la garganta–. Dos semanas, Apollo. Te di dos semanas. Te di... –tragó saliva para contener las lágrimas–. Te lo he dado todo. Te entregué mi cuerpo.

–Una mala decisión. No soy digno de confianza. Lo sabías desde el principio. Me convenías, cariño, pero seamos sinceros. No has sido más que una diversión, una diversión que ya no me puedo seguir permitiendo.

–¿Cómo puedes decir eso?

–Es la verdad. Seamos realistas, Elle. ¿Qué iba a querer yo de una mujer prácticamente virgen tan fría que cuando me besa me deja témpanos de hielo en los labios?

Sus palabras la golpearon como un puñetazo. Nada de todo aquello tenía sentido. No podía procesarlo. Pero en algún rincón en medio del dolor, de toda la angustia que discurría en su interior como una oleada, encontró la furia. La misma furia que la había arrojado a sus brazos en primera instancia.

Y se agarró a ella con todas sus fuerzas.

–¿Cómo te atreves? –susurró apretando los dientes–. Mi padre te dio todo. Pagó tu educación. Te quería...

–No –intervino Apollo–. Nunca me quiso. Quería poseer a mi madre a toda costa. Se creó su propia fantasía bíblica en la que ella era Betsabé y envió a su marido lejos para que muriera.

–¿Qué?

–Sí. Mi familia no fue siempre pobre. Tu padre y el mío fueron socios empresariales, Elle. Pero los dos se enamoraron de la misma mujer. Mi madre. Ella prefirió a mi padre. Tu padre esperó el momento, hasta ver la oportunidad, y entonces utilizó su influencia en la junta directiva para que votaran la expulsión de mi padre de la empresa. Mi padre se quedó en la ruina. Terminó suicidándose. Mi madre se resistió a las súplicas de tu padre para que se reuniera con él en Estados Unidos como su amante. Estaba todavía casado con tu madre por aquel entonces.

–Yo...

–Mi madre accedió cuando yo tenía ocho años y nos estábamos muriendo de hambre. Tu padre nos instaló en una casa cerca de la suya y venía a visitarnos con frecuencia. Por lo que supe después, le pagó a tu madre una buena cantidad de dinero y luego esperó el tiempo adecuado antes de llevarse a mi madre a la hacienda y convertirla en su esposa.

–No... mi padre no haría... él no...

–Lo hizo. Es un malnacido manipulador que nos ve a todos como peones. Sus actos provocaron que mi padre se quitara la vida, arruinó a mi familia. Pero yo empecé a investigar la historia de mi familia, y cuando supe por qué se había suicidado mi padre, por qué se arruinó... todo me quedó claro –hizo una pausa–. Fue tu madre quien se puso en contacto conmigo.

La madre de Elle, que había abandonado a la familia mucho tiempo atrás. A la que Elle hacía quince años que no veía.

–¿Mi madre?

–Sí. Me había visto subir en algunos círculos empresariales y una noche me vio en un bar. Yo no sabía quién era. Pensé que solo se trataba de una rubia más buscando una aventura de una noche. Pero ella no quería sexo. Quería hablar. Quería contarme quién era tu padre realmente.

—¿Fue a buscarte? Después de todos estos años sin hablar conmigo, ¿fue a buscarte *a ti*?

—Creo que le movía la venganza.

—¿Preguntó siquiera por mí? —quiso saber Elle en un hilo de voz.

Apollo no dijo nada, y su silencio fue de lo más elocuente. Por supuesto que no. No se había puesto en contacto con ella en años, ¿por qué iba a preocuparse ahora?

—No puedo... no sé qué pensar. No sé cómo procesar esto.

Apollo alzó el labio superior.

—Bueno, tendrás tiempo de sobra para procesarlo mientras estás en la cola del paro.

—Apollo... no puedes hacer esto.

Su expresión era dura como el granito.

—Lo estoy haciendo. Ese ha sido mi plan desde el principio y voy a mantenerlo. Solo estoy acortando la duración.

A Elle se le formó un nudo en el estómago. Sintió que el cuerpo se le resquebrajaba de dentro afuera.

Había creído en él. Pensaba que Apollo era la primera persona que la había visto tal y como era de verdad. Que la quería por sí misma.

Aquella era la peor traición de todas. El hecho de que la hubiera usado. No porque la odiara, ni siquiera porque buscara vengarse de ella, sino porque quería vengarse de su padre. Una vez más, Elle no era nada. Solo una pieza conveniente en el tablero de ajedrez.

—Vete —dijo. Ahora temblaba por dentro y por fuera.

—Esta es mi casa.

—Y esta es mi habitación. Déjame con la poca dignidad que me queda.

Apollo se dio la vuelta y se dirigió a la puerta.

–No puedo creerlo. Todas las cosas que me has dejado decir. Lo que me has dejado hacer. El bikini. Como si yo... como si te importara. Pero nunca te he importado. No eres mejor que mi padre. Aunque todo lo que hayas dicho sea verdad, no te has alzado con ninguna victoria.

Apollo la miró con expresión vacía.

–Nunca quise alzarme con nada. Solo quería arrastraros a vosotros al infierno conmigo.

Y dicho aquello salió de la habitación dejándola desolada y rota y convencida de que nunca volvería a sentirse completa.

Capítulo 9

S I ME permite decírselo, señor Savas, desde hace algunas semanas está usted imposible.

–Aunque no te lo permita, ya lo has dicho, Alethea –dijo con tono duro mirando la pantalla del ordenador e ignorando a su secretaria.

–Es la verdad –insistió ella girando sobre los talones y saliendo del despacho.

Apollo no alzó la vista hasta que la puerta se cerró tras ella.

Maldita mujer. Siempre tenía que decir la verdad. Debería despedirla y contratar a alguien más tonta, más dócil y más guapa.

Al pensar en la palabra «guapa» solo le surgió un rostro en la mente. Por supuesto, aquella mujer tampoco era tonta ni dócil. Y estaba permanentemente en su cabeza.

Sobre todo en sueños. Se había despertado buscándola y ella no estaba allí. Porque él la había echado.

En aquel momento le pareció necesario. Necesitaba poner distancia entre ellos. Pero cuanto más tiempo pasaba sin ella, más se cuestionaba su decisión.

Después de todo, el asunto era la pérdida de control, pero echarla no había traído más control

Había apartado la tentación del camino, pero no había conseguido destruir el deseo que sentía por ella. Y por eso ahora sufría.

Se sentía como un adicto que necesitara desesperadamente una dosis. Le temblaban las manos, le su-
daba la piel al pensar en saborear sus labios. En sentir
su suavidad.

Una porción de aquella droga le había llevado a
una adicción de la que no podía librarse.

Así que tal vez ese fuera el problema. Cortar de raíz
no funcionó. Le había dejado preguntándose cómo sería poseerla una última vez. Perderse dentro de ella.
Sentir las delicadas yemas de sus dedos recorriéndole
la espalda.

Solo pensar en ello le provocó una oleada de deseo
tan ardiente que estuvo a punto de caer de rodillas.

Nunca antes se había sentido así. Nunca antes había sentido la necesidad de poseer y mantener a alguien.

¿Como el padre de Elle con su madre?

No, esto era distinto. Pero una cosa tenía clara:
había pasado demasiados años negando su deseo. No
seguiría así.

Cuando era un niño se vio forzado a vivir en la
pobreza por culpa del padre de Elle.

No volvería a someterse a la negación de sus nece-
sidades.

No pasaría una noche más sin Elle en su cama.

Elle estaba convencida de que se estaba muriendo.
Hacía cuatro semanas que se marchó de Grecia, cuatro semanas desde que dejó a Apollo, sin trabajo, rota
y humillada. Al menos nada de todo aquello había
salido a la luz.

Lo único que sabía la gente era que había sido sustituida en su puesto de *Matte*. Nadie conocía su rela-

ción con Apollo, eso era lo único que la mantenía viva.

Su padre estaba muy disgustado con toda la situación, pero al menos no la culpó a ella. O quizá a Elle no le importaba. No sabía qué sentía. En tan solo un mes toda su vida había cambiado por completo. Evitaba a su padre. Evitaba enfrentarse a la situación.

Todo lo que Apollo había dicho, todo lo que le había contado sobre su padre se había asentado en ella, creando una duda respecto a todo. No sabía cómo lidiar con ello en aquel momento.

Y luego estaba el asunto de haberse quedado sin trabajo.

Elle se levantó. El suelo se movió un poco bajo sus pies al incorporarse del sofá por primera vez desde horas. Estar en paro no era bueno para su elección de vestuario. Llevaba tres días en chándal porque no iba a ver a nadie.

—Estoy muy sexy —dijo cruzando el apartamento para dirigirse a la nevera.

La abrió y al instante se vio asaltada por el olor que venía de dentro. Arrugó la nariz. Algo no olía bien. Pero ella no solía guardar mucha comida en la nevera.

La cerró. Se obligaba a comer cuando se despertaba, pero nada le sabía... a nada. Al parecer eso sucedía cuando se te rompía el corazón. También había perdido completamente el apetito.

Sentía como si hubiera lamido el interior de una zapatilla de deporte. Y eso hacía que se le revolvería todavía más el estómago.

Escuchó cómo llamaban a la puerta y dio un respingo. La gente no entraba sin más en el edificio, así que tenía que ser alguien que viviera allí. Aunque no tenía relación con sus vecinos así que no imaginaba quién podría ser.

Aspiró con fuerza el aire, cruzó el apartamento y descorrió el pestillo de la puerta, abriéndola al mismo tiempo que pensaba que debió haber mirado primero por la mirilla.

Pero ya era demasiado tarde. La puerta estaba abierta, y al otro lado se encontraba su peor pesadilla.

La ligera sensación de náusea se intensificó de pronto y Elle salió corriendo para vomitar el desayuno en el baño.

–¿Elle? –la voz de Apollo le llegó desde atrás.

–No te acerques –le pidió ella poniéndose de pie con gesto tembloroso–. Estoy... espantosa. ¿Qué estás haciendo aquí? –se acercó al lavabo y se echó un poco de agua fría en la cara–. ¿Quién te dejó entrar?

–Una joven que vive al final del pasillo. Piercing en la nariz. Pelo rosa. Me pareció de confianza.

Elle se rio con amargura.

–Pensó que le gustaría tenerte en su cama. La habría avisado con antelación, pero supongo que tampoco le hubiera importado.

–Pues lo siento por ella. No estoy en el mercado.

–Muy bien. Si no has venido a ligar con mi vecina, ¿por qué estás aquí?

–¿Si te digo que he venido a ver cómo estás me creerías?

–No.

–Quiero que vuelvas.

–No –repitió Elle con tono incrédulo–. No voy a volver contigo. Te portaste fatal conmigo. Me despediste.

–Y ahora no tienes trabajo. Pensé que te interesaría llegar a algún acuerdo.

Elle se rio y abrió los brazos de par en par.

Y aquí estoy yo, vomitando mientras me pides que me convierta en tu amante. Yo creo que hay lugares más románticos que el baño.

—Necesitas dinero. Y algo en lo que ocupar tu tiempo.

—Eres despreciable.

Elle pasó por delante de Apollo tratando de mantener la cabeza alta. Le resultaba difícil cuando el hombre con el que había hecho el amor y luego la había humillado acababa de verla vomitar.

—Tal vez —dijo él apoyando las manos en el marco de la puerta—. Pero eso no cambia los hechos.

—Necesito tumbarme —murmuró ella.

Apollo frunció el ceño.

—¿Desde cuándo te encuentras mal?

—No me encuentro mal. Solo he vomitado.

—¿Por lo demás te sientes bien?

—No mucho. Pero me humillaste y me despediste. Así que no sé cómo esperas que me sienta.

—No estoy hablando de tus sentimientos. Me refiero a físicamente.

—No. No me encuentro bien últimamente. Pero las emociones se manifiestan en el cuerpo.

—¿Has tenido la regla?

Elle se quedó boquiabierta.

—¿Qué clase de pregunta es esa?

—La única que me interesa ahora mismo.

Elle sintió un escalofrío de hielo en la espina dorsal.

—No —reconoció—. Pero eso... eso no significa nada.

—Acabas de vomitar y estás muy pálida, no has tenido la regla el mes pasado y crees que eso no significa nada.

–Nosotros...

–No tuvimos mucho cuidado.

Era cierto. No habían utilizado preservativo en el ascensor ni tampoco durante la última vez que lo hicieron en casa de Apollo. Y era cierto, no había vuelto a tener la regla desde lo del ascensor.

–No, supongo que no.

–¿Y no se te había ocurrido pensar hasta ahora que pudieras estar embarazada?

–No –afirmó Elle llevándose la mano a la boca y abriendo los ojos de par en par–. No. No lo estoy.

–No tienes forma de saberlo.

No. Porque no se había hecho la prueba. Y aunque nunca había sido particularmente regular, no suponía un problema porque era virgen. Ahora... resultaba un poco sospechoso.

–Preferiría esperar unos días...

Apollo ya había sacado el móvil.

–¿Alethea? Sí, busca una médico discreta en Manhattan que pueda ver a una paciente de inmediato. Envíame un mensaje por la información cuando la tengas. Y cuando digo de inmediato lo digo en serio, estoy a punto de subirme al coche.

Apollo colgó y Elle se lo quedó mirando fijamente.

–¿Qué estás haciendo?

–Vamos a responder a esta pregunta de una vez por todas, *agape*. Y no te equivoques: si estás esperando un hijo mío te vuelves conmigo a Grecia ahora mismo.

Apollo no pudo hacer otra cosa más que recorrer la sala de espera de la lujosa consulta privada a la que había llevado a Elle.

Se encontraba en Manhattan por motivos de tra-

bajo, y sin pensarlo mucho se dejó llevar por la debilidad y acabó en el edificio de Elle.

No sabía con qué clase de embrujo le había hechi-
zado, pero le resultaba imposible olvidarse de ella.
Olvidar cómo le hacía sentirse. En las últimas cuatro
semanas o en los pasados nueve años, antes incluso de
haberla tocado. Era una mujer que se le quedaba en el
pensamiento como ninguna otra.

Ahora se preguntó si el hecho de que no hubiera
podido dejar de pensar nunca en ella no habría sido
una advertencia de algún tipo. Si de verdad estaba
esperando un hijo suyo no podía ignorarlo. Apollo
nunca había querido tener hijos. Pero en cuanto le
cruzó por la mente la idea de que Elle pudiera estar
embarazada, supo que tomaría posesión de su hijo.

Tras la infancia que había tenido, tras el modo en
que había perdido a su padre, sabía que nunca dejaría
que su propio hijo pasara por algo así. Por una vida
sin el hombre que se suponía que debía protegerle.

Apretó los labios. Su padre no tenía la culpa de lo
que le había pasado. Fue David St. James quien le empujó a la ruina. Pero Apollo se sostenía perfectamente
sobre los dos pies. Nadie le estaba empujando.

Se abrió la puerta y salió Elle con unos papeles en
la mano. Estaba muy pálida. No hizo falta que hablara
para que Apollo supiera cuál era la respuesta.

Nunca imaginó que se vería en aquella situación.
Seguramente cualquier hombre que fuera sexualmente activo podría verse en algo así potencialmente,
pero él siempre había sido muy cuidadoso. Pero con
Elle no lo fue. Y ahora tenía delante las consecuencias
de sus actos.

No sintió pánico. Ni tampoco ninguna rabia, aunque
eso era lo que esperaba. No, solo había una determina-

ción fría y limpia. Sabía perfectamente lo que iba a hacer. Lo que iba a exigir.

—Yo...

—Sí, creo que ya lo sé.

—No sé qué vamos a hacer.

—Yo sé perfectamente lo que vamos a hacer.

Elle abrió mucho los ojos.

—¿Sí?

—Sí. Vas a volver a Atenas conmigo. Y luego, *agape*, tú y yo nos vamos a casar.

Elle apenas fue consciente de que estaba sentada en la limusina de Apollo. Se encontraba en un estado casi catatónico. Pero acababa de descubrir que estaba embarazada de un hombre que la despreciaba, a ella y a su familia, un hombre que la había dejado sin trabajo y destrozada cuando puso fin a su relación.

Nunca había pensado en ser madre. Su propia madre la había abandonado y no se molestó en mantener el contacto con ella. Su madrastra era una mujer encantadora, pero a menudo silenciosa.

Y el padre de Elle... imponía. No mostraba afecto. Era como querer a una roca.

Nunca pensó que le tocaría vivir una relación así ocupando el asiento de la madre. Le resultaba... abrumador. Y también significaba que estaba atada a Apollo para siempre.

Pero ya lo estaba antes.

Apretó los dientes. No sabía qué decir. No tenía ni idea de qué hacer ahora. Solo sabía que la estaban llevando otra vez a Atenas.

Aquel pensamiento la puso en acción.

—No voy a casarme contigo.

Apollo se rio entre dientes sin asomo de humor.

–Entonces prepárate para una batalla por la custodia legal que te dejará sin ningún recurso.

Elle parpadeó.

–¿Quién te ha dicho que me voy a pelear por la custodia?

Pero en cuanto lanzó la pregunta se dio cuenta de que sí lo haría. No porque sus padres hubieran sido maravillosos, sino porque le habían demostrado en un millón de pequeñas maneras lo poco importante que era Elle. Que la asparan si permitía que su propio hijo caminara por la vida sintiendo que a su madre no le importaba.

La idea le provocó una punzada en el estómago. Su propio pequeño pensando que ella no le quería. Quiso pedir perdón a la vida que crecía en su interior. Como si hubiera podido sentir su vacilación.

–Si no quieres luchar por nuestro hijo, entonces aceptaré gustoso que te eches a un lado.

–No lo haré –afirmó ella con convencimiento.

Su mente empezaba a aclararse. Y aunque no podía imaginar lo que sería tener un hijo, aunque no estaba segura de si se encontraba feliz o devastada, sabía que no se mantendría al margen.

–Acabas de decir...

–Sí, bueno, estoy intentando entender mi posición. Tal vez te sorprenda saber esto, pero nunca fantaseé con una vida en la que hubiera una valla blanca, un marido y niños. Pero tampoco voy a huir de mis responsabilidades. Y no quiero que ningún hijo mío vaya por la vida creyendo que no es querido.

–Entonces nos casaremos.

La mente de Elle discurría a mil por hora.

–Quiero poner algunas condiciones.

No podía creer que acabara de decir eso. Sabía que no debía negociar con terroristas ni con machos alfa griegos multimillonarios que tenían una gran opinión de sí mismos. Así que no sabía por qué lo intentaba.

–¿Condiciones, *agape*? –parecía molesto. Pero también interesado.

–Sí. Condiciones –ahora tenía que pensar rápidamente en cuáles serían–. Nueva York es mi hogar. No voy a dejar la ciudad.

–Tengo una villa en Grecia.

–Apuesto a que tienes casas por todo el mundo. Sé que no vives de forma permanente en Nueva York, pero yo sí.

–Tu apartamento tiene el tamaño de un sello postal.

–Es lo bastante grande.

–Para ti. No hay espacio para un niño. Ni para un marido.

Elle apretó los dientes.

–No he accedido a tener marido. Todavía no. Quiero poner mis condiciones. Pero no tomaré una decisión final hasta estar segura de la situación.

–No creo que debas desafiar mi autoridad. Después de todo, yo soy un multimillonario respetado y tú no tienes trabajo. Eres la hija de un hombre de negocios al borde de la ruina. ¿Qué le puedes dar a un niño que yo no pueda darle?

–Amor. Cariño. Sentimientos humanos.

–Creo que al juez le impresionará más mi cuenta bancaria.

–Lo dudo. Todo el mundo está de acuerdo en que los niños necesitan amor por encima de todo.

–¿Y crees que estás más cualificada que yo para darle amor a un niño?

Elle se revolvió en el asiento.

–Sí. Lo creo.

–¿En qué te basas? Antes de quedarte sin empleo eras una adicta al trabajo.

–No es verdad.

–¿Tienes un solo amigo que no sea también compañero de trabajo?

Elle no tenía que pensar en ello. Conocía la respuesta a la pregunta. Pero aunque fueran del trabajo, Suki y Christine eran amigas de verdad. Suki le llevó pasteles cuando la despidieron.

Aunque pensar ahora en pasteles volvió a revolverle el estómago.

–Tú también eres un adicto al trabajo –le espetó–. Además, yo soy la madre del niño y no creo que vaya a tener ningún problema para quedarme con la custodia.

–No estoy de acuerdo.

–Vas a tener que esperar, Apollo –afirmó ella con una determinación que no estaba muy segura de sentir realmente–. No tengo miedo de enfrentarme a ti en los tribunales. Escucharte decir que tu madre fue manipulada para tener una relación con mi padre y que ahora tú quieres hacer lo mismo conmigo. ¿Te crees mejor que él?

–No –afirmó Apollo con expresión fría–. Expón tus condiciones con claridad.

–Quiero quedarme en Nueva York. Quiero tener al niño aquí. Quiero criarle aquí.

–El niño será griego. Debería tener relación con su patria.

–Que tenga relación está bien. Pero quiero criarle aquí. Quiero quedarme aquí. Porque eso me lleva a mi siguiente condición. Quiero recuperar mi trabajo.

–El nuevo director ejecutivo solo lleva un mes en el cargo. Si le hecho parecerá un capricho.

–Todo tiene un coste. Y ese es el precio que tienes que pagar para tenerme sin que yo proteste. ¿Lo aceptas o no?

Elle no tenía muy claro si quería que Apollo dijera que sí o que no. No estaba segura de lo que ella quería.

–Acepto.

Una extraña mezcla de alivio y terror la atravesó.

–Estupendo.

Apollo volvió a sacar el móvil.

–Alethea, necesito una casa. Un ático en Manhattan. Algo grande pero seguro. Sin balcones ni nada parecido. Y si tiene balcones, que estén protegidos. A pruebas de niños –colgó.

–¿Tu secretaria te va a buscar una casa?

–No, *agape* –dijo Apollo esbozando una sonrisa que no resultó en absoluto amistosa–. Mi secretaria nos va a buscar una casa a los dos. ¿Accedes a casarte conmigo?

Elle aspiró con fuerza el aire y lo miró a los ojos.

–Si veo que cumples con mis condiciones de modo satisfactorio. Y si siento que no vas a pasarte la vida haciéndome desgraciada. Dijiste que yo era tu venganza, Apollo. Hasta que no me veas como una mujer, una mujer completa, no como tu hermanastra ni como un instrumento de venganza contra mi padre, no me tendrás. Ni en tu vida ni como tu esposa. Lo prometo.

Capítulo 10

ALETHEA era de lo más eficiente, por eso aquella tarde Elle y Apollo estaban en un ático vacío situado en lo alto de un edificio de Midtwon. Era espacioso, aunque no tanto como la villa de Grecia. Pero serviría.

—¿Te gusta?

—Yo ya tengo una casa —respondió Elle.

—Ya me he ocupado de ponerla a la venta. A menos que quieras conservarla como una especie de lugar de trabajo, pensé que lo mejor sería venderla.

—¿Estás vendiendo mi casa?

—Mis hombres ya han ido a recoger tus cosas.

Elle se dio la vuelta y apretó los puños.

—¡Apollo! No puedo creer que hayas hecho algo así.

Él alzó una de sus oscuras cejas.

—¿De verdad no puedes creer que haya hecho algo así? Y yo que pensé que estaba siguiendo mi personaje...

Elle se llevó los puños a los ojos como si quisiera contener su ira.

—Todo está cambiando demasiado rápido.

—Las cosas han cambiado muy rápido durante los dos últimos meses. Primero tuvimos un encuentro sexual. Luego tú fuiste a Grecia. Y allí tuvimos más sexo. Perdiste tu trabajo. Ahora vas a tener un hijo y estamos intentando acomodar nuestras vidas. La vida es un tren de alta velocidad.

Lo cierto era que la vida de Apollo llevaba unos cuantos años estancadas. Sí, tenía más dinero del que podría gastar en toda una vida. Su negocio continuaba creciendo. Se había centrado en su plan de venganza contra la familia St. James. Pero más allá de eso, nada había cambiado de forma significativa durante años. Su vida era un paseo interminable de mujeres bellas y eventos superficiales que le exigían ponerse un traje y sonreír educadamente a los invitados. Esta era...

Esta era la primera vez en mucho tiempo que tenía algo nuevo.

No era la venganza que planeó cuando volvió a Nueva York, pero resultaba... interesante. Seguramente a Elle le molestaría que calificara su embarazo accidental como «interesante».

–De acuerdo. Es típico tuyo. Pero no puedes entrar en mi vida y ponerla patas arriba.

–¿Por qué no? Tú lo has hecho con la mía.

Ella pareció asombrada durante un instante.

–¿Sí?

–Vas a hacerme padre. Si eso no es un cambio, que venga Dios y lo vea.

–Supongo que dependerá de lo implicado que decidas estar.

Apollo no sabía nada sobre cómo ser un buen padre. Apenas recordaba al suyo. Cuando aún estaba vivo, él pasaba todo el tiempo en las oficinas del negocio que compartía con David St. James. Y después de la desgracia, se sumió en las drogas y el alcohol. Y unos años después murió.

En cuanto a David... había sido un padrastro atento.

Era cierto. Pero nada de eso importaba ahora porque se había revelado como realmente era.

–Soy un hombre ocupado. Un hombre rico. Tengo intención de implicarme de un modo limitado –aseguró.

–Entonces supongo que tu vida personal no tiene que cambiar mucho. Ah –los ojos verdes de Elle se encendieron un poco–. Excepto que se te exige serme fiel.

Sus palabras fueron como un puñetazo en el estómago. Dieron en la herida que estaba justamente examinando. No podía imaginar desear a otra mujer que no fuera Elle. No se había acostado con nadie más durante el mes que habían estado separados. Algo inusual para él.

Pero en el momento que Elle St. James volvió a aparecer en su vida, su cuerpo recuperó su obsesión por ella. Pero no quería que Elle lo supiera. No quería que le pusiera más condiciones.

Había accedido a ir a Nueva York porque era fácil. Había accedido a devolverle su puesto en *Matte* porque era fácil. Y aparte de eso, la idea de darle a David St. James su primer nieto era una nueva y deliciosa venganza.

Ya no necesitaba echar a Elle de la empresa. Ni destruir a los St. James de ese modo. Tenía a la hija de su enemigo. Iba a tener un hijo suyo. Sería su esposa, Apollo estaba convencido de ello.

Sí, podía hacer muchas cosas con todo aquello. Estaba convencido.

–No tengo experiencia con la fidelidad –dijo–. No haré promesas en ese sentido.

–Entonces disfruta de tu vida de soltero. Si tocas a otra mujer, no me tocarás a mí. Te lo aseguro.

–Lo dudo bastante.

Elle y él no podían estar en la misma habitación sin quitarse la ropa el uno al otro. Este día era una excepción debido al impacto de saber que estaba embarazada y necesitaban ver la logística creada por las circunstancias. Pero sabía que pronto la tendría otra vez tumbada suplicándole que la poseyera.

O viceversa.

Apollo se negaba a considerar aquello. Elle era tan esclava del placer que nacía entre ellos cada vez que se tocaban como él. Apollo no era el único. No estaba en desventaja.

–Lo bueno de quedarme soltera es que seré libre de buscar otros amantes –afirmó ella sacudiendo la melena cobriza.

–No me lo creo –aseguró él sintiendo una punzada de ira en el estómago.

La idea de que otro hombre la tocara le resultaba insoportable. Pero estaba marcándose un farol, seguro.

–¿Por qué no? Tal vez fuera virgen antes de nuestro encuentro, Apollo, pero ahora que me has enseñado lo mucho que se puede disfrutar del sexo, no puedes pedirme que me olvide de ese placer.

–Claro que puedo.

Ella se rio.

–Ten cuidado. Se te nota que estás desesperado. No te conviene que sepa cuánto poder tengo en esta situación.

Había dado en el clavo.

Y de pronto a Apollo no le importó que aquel día hubiera estado tan cargado de emociones para ella. No le importó la fragilidad de su estado. Que solo un par de horas atrás estuviera vomitando delante de él vestida de chándal. Siempre había deseado a Elle. Siempre. Y ahora no era una excepción.

Apollo cruzó el salón vacío, le pasó el brazo por la cintura y la atrajo hacia sí tomándole la barbilla entre los dedos pulgar e índice.

–No me busques, Elle. El resultado no te va a gustar.

–No me busques tú a mí, Apollo.

–Nos buscamos el uno al otro, *agape*, esa és la pura verdad. Y mira dónde nos ha llevado.

–Sí. Yo diría que no es la más agradable de las situaciones.

–Yo podría hacerla mucho más agradable si no fueras tan obstinada.

Elle lo miró.

–Lo mismo te digo.

–Mañana empiezas a trabajar otra vez en *Matte*. La persona que te sustituyó cobrará una generosa indemnización –Apollo la soltó.

–Excelente –murmuró ella atusándose la ropa.

–Lo he arreglado todo para que traigan todas nuestras cosas al ático esta noche.

Elle se rio.

–Eso es imposible.

Apollo se encogió de hombros.

–Si pagas en efectivo sí es posible.

Ella sacudió la cabeza.

–Ese es el problema contigo, Apollo. Nunca te han negado nada.

–No estoy tan seguro, Elle. Me negaron completamente a mi padre cuando se metió un tiro en la cabeza. ¿Y por qué lo hizo? Ah, sí. Porque su querido amigo y socio lo traicionó. Sí, sé lo que es sufrir una carencia. Y me niego a pedir disculpas por disfrutar ahora del lujo.

Elle parpadeó.

–Lo siento. No quería...

Apollo agitó una mano.

–No soy tan sensible. Además, esto es parte de nuestra asignatura, ¿verdad? Tenemos que arrancarnos la piel el uno al otro de vez en cuando. Porque si no lo hacemos, nos arrancaremos la ropa.

Ella absorbió el aire por la nariz.

–Tal vez antes fuera así. Pero ya no.

–Puedes agarrarte todo lo que quieras a esa ilusión. En cualquier caso, esta tarde traerán tus cosas. De ti depende cómo decidas pasar el rato hasta entonces.

Al día siguiente, Elle entró en el apartamento completamente amueblado y se mareó. La vida le estaba cambiando demasiado rápido. Iban a vivir juntos mientras Apollo estuviera en Nueva York. Y quería casarse con ella.

Sintió un nudo en el estómago.

Lo más aterrador era que una pequeña parte de ella se sentía... emocionada. Como si aquello fuera una especie de cuento de hadas. Como si estuvieran iniciando una relación de verdad. Un matrimonio real. Como si Apollo quisiera estar con ella porque era Elle y no porque iba a tener un hijo suyo.

«Volvió. Volvió antes de saber que estabas embarazada».

Se agarró a aquello. Lo examinó como si fuera un tesoro que quisiera mantener alejado del mundo. Apollo volvió a ella antes de saber lo del bebé. Elle no sabía lo que eso significaba. Sí, había dicho que quería que fuera su amante. Pero ella sabía muy bien que un hombre como Apollo podía conseguir a cualquier mujer que deseara. No la necesitaba. Pero de todas formas fue en su busca.

Y en cuanto supo lo del bebé se ocupó de todo e intentó asegurarse de alcanzar un acuerdo permanente con ella.

Tal vez fuera una tontería otorgarle algún significado a todo aquello, pero no podía evitarlo.

En el fondo lo único que quería era a alguien que deseara estar con ella. Tal vez fuera triste admitirlo, pero llevaba mucho tiempo sintiéndose sola. Durante toda su vida. Y el modo en que Apollo la miraba, la pasión con la que reclamaba su cuerpo, la llevaba a pensar que tal vez hubiera algo más de lo que él estaba dispuesto a admitir.

Por supuesto, no quería prometer que le sería fiel.

Elle parpadeó y tragó saliva mientras seguía observando la moderna decoración del ático.

–¿Cuál va a ser mi dormitorio?

–Elige el que quieras –dijo Apollo–. Pero tus cosas ya están en la habitación principal.

–¿Y las tuyas no?

Apollo se encogió de hombros.

–Yo tengo varias residencias. No pasaré aquí tanto tiempo como tú. Mi sede seguirá estando en Grecia. Eso significa que no estaré mucho por aquí.

La idea de que estuviera con otras mujeres se le volvió a pasar por la cabeza. No tenía pensado vivir con ella. Al menos no de verdad. Estaba tomando posesión de ella, pero manteniéndola a distancia. No debería sorprenderla, pero le dolió.

Y, sin embargo, no consiguió apagar la pequeña luz de esperanza que todavía le ardía en la boca del estómago. No debería albergar esperanzas en relación a Apollo, pero una parte de ella seguía susurrándole que fue a buscarla antes de saber lo del embarazo.

No iba a permitir que Apollo viera aquella esperanza en ella.

–Está bien. Creo que para el niño será bueno vernos en la misma casa de vez en cuando. Al menos aquí hay espacio. Creo que me voy a echar –dijo subiendo las escaleras que llevaban a la planta superior del ático, donde estaban los dormitorios.

–Como quieras. Pero tenemos una reserva para cenar dentro de cuatro horas. Espero que estés lista para entonces.

Elle apretó los dientes.

–¿Vas a seguir dándome órdenes constantemente?

–Tú sigues desobedeciéndolas, y yo sigo intentándolo.

–Bueno, por suerte una cena no es una boda.

Ella continuó subiendo las escaleras. Luego recorrió el pasillo y abrió la puerta de su nuevo dormitorio. En su nueva casa. De pronto sintió que le temblaban las rodillas. Todo resultaba abrumador. Las decisiones que debía tomar de pronto. Se acercó a la cama y se dejó caer sobre la suave superficie. Y entonces hizo algo que rara vez se permitía. Hundió la cara en la almohada y lloró

Elle era preciosa. Ese era parte del problema que tenía con ella. Daba igual que estuviera prohibida porque era su hermanastra o la hija de su enemigo, era demasiado bella. Pero aquella noche, con el vestido corto de encaje color crema, la piel pálida como la de una muñeca y el rojo cabello cayéndole sobre los hombros, era como un ángel de otro mundo. Etéreo.

Y en lo único que Apollo podía pensar era en que quería arrastrarla a su guarida.

No le había contado el objetivo de aquella cena. Se enfadaría con él, pero no se resistiría cuando viera el anillo.

Había ido a la joyería aquel día y lo había escogido él mismo. Un diamante color champán grande de una elegancia única en lugar del típico anillo de compromiso.

También había escogido uno de los mejores restaurantes de Manhattan para la ocasión. Porque seguramente habría paparazis por ahí, aunque estuvieran un poco escondidos entre las sombras, por decirlo de alguna manera. Y también habría gente con la cámara del móvil lista para tomar fotos y subirlas a Internet.

Le tomó la mano y le deslizó el pulgar por la suave piel. Una parte cavernícola de su ser disfrutó de lo que estaba a punto de suceder. En unos instantes le pondría el anillo en el dedo y el mundo sabría que le pertenecía. Le encantaba la idea de que hubiera un signo de su posesión.

Aquello le hizo pensar en el bebé. En el hecho de que pronto tendría tripa, una prueba más irrefutable de que estaba unida a él de forma irreversible.

Elle le miró la mano como si se tratara de una serpiente potencialmente peligrosa.

—No creo que me hayas traído aquí solo para invitarme a cenar. Aunque ha estado muy bien.

—Y todavía no hemos tomado el postre.

Ella retiró despacio la mano.

—No. Y te has mostrado amable y solícito durante toda la cena. Así que necesito saber qué está pasando.

—Tengo pensado esperar a que te hayas terminado la tarta, *agape*, pero si estás impaciente te revelaré encantado la razón por la que te he traído aquí esta noche.

Metió la mano en el bolsillo interior de la chaqueta y sacó una cajita de terciopelo. Elle palideció todavía más.

–Eso es...

Apollo se levantó de la silla e hincó una rodilla en el suelo frente a ella. Aquella era otra cosa que nunca pensó que haría en su vida. Ponerse de rodillas delante de una mujer. Pero si quería que la farsa funcionara iba a tener que esforzarse. No podía hacerlo a medias.

–Elle St. James, sería para mí un honor que aceptaras ser mi esposa.

Sentía los ojos de todos los clientes del restaurante clavados en ellos, todo el mundo los miraba. Y entonces escuchó los flashes. Y supo que estaba siendo documentado, tal y como él tenía planeado. Sabía que sería titular de las páginas de economía al día siguiente.

–Te... te dije que no podía contestar a esto ahora –dijo Elle en tono bajo.

Si vacilaba podía terminar causándole problemas. Tal vez en su arrogancia se había anticipado.

–Quiero que seas mi esposa –afirmó–. Eres la única mujer con la que me veo para toda la vida. Por favor, hazme el honor de decir que sí.

Era la verdad, aunque fuera una verdad engañosa. Lo cierto era que nunca imaginó tomar a otra mujer como esposa que no fuera ella. Pero hasta aquella mañana no había pensado en pedirle que se casara con él. Así que había margen para la interpretación de aquellas palabras. Pero no eran mentira.

Ella mantuvo la expresión neutra.

–¿Te gustaría ver el anillo? –le preguntó Apollo.

Levantó la tapa de la cajita y mostró el anillo que había escogido cuidadosamente.

Elle lo miró sin cambiar de expresión. Alzó una mano como si quisiera tocarlo, pero la apartó rápidamente como si el anillo fuera a morderla.

–No –dijo.

–¿No? –repitió Apollo. Seguía con la rodilla hincada en el suelo del maldito restaurante y Elle le había rechazado.

Se sentía... perdido, y aquello era algo completamente ajeno a él. Y con aquella sensación llegó... el dolor. Profundo. Desgarrador.

Elle se puso de pie y le rodeó.

–Creo que no quiero postre –murmuró con voz estrangulada–. Te dije que no sabía lo que quería y tú... –miró a su alrededor–. Te has encargado de hacerlo público para que no pudiera decir que no. No soy tu peón, Apollo. No soy el peón de nadie.

–Hablaremos en el coche –dijo él–. Este no es el sitio.

–Por supuesto que no –afirmó Elle–. No queremos montar ninguna escena.

Apollo no se preocupó de la cuenta porque era cliente habitual del restaurante, así que tomó a Elle de la mano y los dos salieron del restaurante con los ojos de los demás clientes clavados en ellos. Apollo pulsó una tecla del móvil y su coche apareció en la puerta. Le abrió la puerta a Elle y luego se colocó detrás del volante. Ambos guardaron silencio hasta que el conductor se puso en marcha y levantó la pantalla de separación para dejarles intimidad.

–¿Es que todo es un juego para ti? –preguntó Elle con expresión furiosa cuando estuvieron solos.

–No es un juego –afirmó Apollo con tono duro–. Es una estrategia. He pasado los últimos años planeando una venganza contra tu familia. Pero ahora tú estás esperando un hijo mío. Quiero lo que quiero, Elle, y mi intención es conseguirlo.

–¿Y entonces? ¿Pensaste que podrías obligarme a decir que sí por el shock?

–Pensé que el anillo funcionaría –nunca se le ocurrió que pudiera ser de otra manera. Nunca pensó que le rechazaría.

–Si hubiera querido un anillo me lo habría comprado yo misma. Uno que no viniera con marido incluido.

–El matrimonio tiene su sentido –insistió Apollo.

–¡No me importa! –gritó Elle–. Nada de lo sucedido entre nosotros ha tenido nunca sentido.

–Entonces, ¿por qué te resistes a mí cuando los dos sabemos que acabarás cediendo?

–Por cosas como la que estás diciendo ahora. Porque crees que es inevitable que me entregue a ti. ¡Porque no me escuchas, maldita sea!

–Sigues actuando como si tuvieras opción –afirmó Apollo endureciendo el tono.

–Soy una idiota. Sigo esperando a descubrir que sientes algo por mí. Lo que sea.

Sus palabras sonaron honestas y desnudas, no eran las balas cargadas de ira que normalmente le disparaba. Allí había vulnerabilidad. Una sinceridad con la que no había contado.

–Por supuesto que siento algo por ti –aseguró–. Te deseo.

Ella sacudió la cabeza.

–Eso no es lo mismo.

–Pero es lo único que tengo.

–¿Porque odias a mi familia?

–Estar contigo fue una traición a mi padre. A mi madre. Pensé en agarrar lo que había entre nosotros y retorcerlo para transformarlo en algo que pueda utilizar.

–¿Tan enfadado estás?

–Todo en lo que creía era mentira –dijo con una fuerza que a él mismo le sorprendió–. Pensé que tu padre me quería, pero yo solo formaba parte de su enfermiza obsesión por mi madre. Permitió que me encariñara con él y actuó como si también me quisiera y, sin embargo, sabía la razón por la que mi padre se había suicidado. Así que dime, Elle, ¿tú no buscarías venganza en mi posición?

–Eso no resuelva nada –contestó ella–. Tuviste la venganza a mano. Durante cuatro semanas, pensaste que todo había terminado. Me apartaste de mi puesto de directora. Habías terminado conmigo. Con mi familia y, sin embargo, volviste a llamar a mi puerta. Así que dime, Apollo, ¿qué te ha traído de bueno la venganza? ¿Qué ha solucionado? Tu padre sigue sin estar aquí. Y sigues deseándome. De hecho me estás suplicando que me case contigo. ¿Dónde está tu poder en esta venganza?

Apollo no podía negarlo aunque quisiera.

–Te deseo –reconoció–, pero eso es aparte de mis planes de venganza.

–¿Crees que así puede funcionar un matrimonio?

–Funcionará porque haremos que funcione. Nos sentimos atraídos el uno por el otro, ¿No es suficiente con eso?

–No lo sé. Nunca he pensado seriamente en casarme. No sé qué espero del matrimonio –Elle parpadeó–. Pero me gustaría algo más que gritarle a mi marido. Me gustaría que fuera algo más que estar preguntándome si tiene una aventura. Me gustaría ser la elegida por una vez. Solo soy la directora de *Matte* porque mi padre intentó retener su imperio. Y tú... quieres que sea tu mujer para tener poder sobre mi padre.

–Sé que no valoras el deseo que siento por ti porque no es algo sentimental. No soy capaz de experimentar ese sentimiento del que hablas. Pero quiero que sepas que si hubiera sido capaz de desear a otra mujer, si tuviera dominado el deseo que siento hacia ti... nunca lo habría hecho.

–¿Se supone que debe alegrarme que no quieras desearme?

–Sí –afirmó él.

–Qué arrogancia la tuya. Y no entiendes muy bien a las mujeres.

Apollo se rio entre dientes.

–Entiendo partes de las mujeres.

–Eso no lo niego. Pero también te digo que eso te deja fría después por mucho que hayas ardido en el momento.

Capítulo 11

ELLE se había desinflado cuando llegaron al ático. No le dijo nada cuando entraron ni cuando subió al dormitorio y se quitó las joyas. ¿Cómo pudo imaginar que lograría lidiar con aquel hombre? Estaba tan poseído por el deseo de hacer daño a su familia que no le importaban las víctimas colaterales.

Si hubiera actuado como un ser humano con sentimientos y emociones normales habría sido más fácil hacerle entender. Pero no era el caso. Elle no sabía cómo resolver aquel enigma. Como lidiar con aquella roca inamovible que parecía un hombre pero no se comportaba como tal.

Recordó que unas semanas atrás pensó que no tenía corazón. Odiaba estar cada vez más convencida de ello.

Se quedó sentada largo rato en el dormitorio sin molestarse en cambiarse de ropa, mirando los correos electrónicos y perdiendo el tiempo en Internet hasta que transcurrió una hora desde que habían regresado a casa. Entonces se puso de pie y cruzó la habitación antes de tener tiempo para procesar lo que estaba haciendo. Cruzar el ático en dirección al dormitorio de Apollo. Se detuvo en la puerta y se llevó la mano al pecho, sintiendo cómo le latía el corazón en la palma. Y luego abrió la puerta. Apollo estaba en la cama, desnudo con la sábana a la altura de la cadera y un brazo colocado encima de la cabeza. No estaba dormido. Abrió los ojos cuando ella abrió la puerta y arqueó una ceja.

—¿Sí?

Elle cruzó la habitación, se subió a la cama y se quedó tumbada encima de la sábana a su lado.

Apollo se inclinó hacia ella como si fuera a besarla. Pero Elle alzó una mano.

—No —dijo—. He venido a hablar.

—Como quieras —murmuró él volviendo a la posición en la que estaba antes.

—Quiero conocerte —afirmó Elle—. Solo conozco pedacitos de tu infancia. Cosas que tú me has contado. Pero tengo curiosidad por saber más.

Apollo suspiró.

—De acuerdo. Crecí en una casa preciosa. Pero no duró mucho. Mi padre trabajaba mucho y apenas lo veía. Y cuando yo era muy pequeño perdió su puesto en la empresa que tenía con tu padre. Aquello fue una crueldad, como tú bien sabes. Entonces perdimos la casa. Lo perdimos todo.

Elle deseaba tocarle. Acababa de decidir que tocar era más fácil que hablar, que besar era más sencillo que la sinceridad. Sus cuerpos eran mucho más fáciles que cualquier otra cosa. Pero pensó que era mejor no interrumpirle.

—Mi padre no llevó bien nuestro descenso a la pobreza. Se enfrentó a los problemas tomando drogas y bebiendo. Al final, el poco dinero que teníamos se fue en sus adicciones. Terminamos en la calle. Poco después de eso, cuando se dio cuenta de lo que había sido de nosotros, de la familia, se quitó la vida. Nunca sabré por qué. Si se sentía avergonzado, si creyó que estaríamos mejor sin él. Si sencillamente no quiso seguir intentándolo. Nunca sabré la respuesta. Y en realidad no importa. Tomó su decisión. Y pasaron los años. Pero lo que sí sé es que a él le gustaría vengarse de lo que le pasó. Lo que nos pasó a todos.

—Entonces se habría encargado él mismo —aseguró Elle con tono dulce pero decidido—. Si le importara tanto, se habría quedado para vengarse.

—No pudo. Por la razón que fuera —arguyó Apollo—. Además, mi madre y yo nos vimos en la calle, y luego en aquella horrible casa comunitaria. Allí fue donde nos enviaron. Mi madre me dio pocos detalles, pero dijo que íbamos a tener un nuevo hogar. A empezar de nuevo en América. Allí teníamos una casa, pequeña pero limpia. No nos faltaba de nada. De pronto mi madre podía estar en casa conmigo en lugar de andar buscando trabajo desesperadamente.

—No puedo ni imaginar lo que debió ser aquello.

—Apenas lo recuerdo. Aunque es algo a lo que intento agarrarme para no olvidar lo que significa pasar hambre. Cuando pierdes ese recuerdo, olvidas por qué necesitas triunfar.

Elle asintió en la oscuridad.

—Sé a lo que te refieres —ella también tenía hambre. No de comida ni de techo, pero de una aprobación que nunca obtuvo.

—Tu padre venía a visitarnos muchas veces. A veces venía una canguro a encargarse de mí y mi madre se iba durante el fin de semana. Supongo que para estar con él. Tu padre siempre fue bueno con nosotros. Conmigo. Y cuando se casó con mi madre, cuando nos llevó a ambos a vuestra mansión, pensé... pensé que lo teníamos todo.

—Recuerdo vuestra llegada. Me porté fatal contigo porque me dabas miedo. Eras... eras lo más bello que había visto en mi vida y yo sabía que no debía pensar en mi hermanastro de ese modo.

–Supongo que no –reconoció él–. Fue inteligente por tu parte mantenerme a raya, Elle.

–No sé si fue inteligente, pero desde luego funcionó durante un tiempo.

Apollo se rio entre dientes.

–Sí, funcionó –hizo una pausa–. Nunca te he preguntado qué sentiste al perder a tu madre de ese modo. Supongo que tu padre es responsable de eso también, igual que de la pérdida de mi padre.

La idea le puso a Elle el estómago del revés.

–Sé que mi padre no es perfecto, pero me cuesta trabajo creer que sea tan manipulador. Pero tal vez sea así. Es un hombre al que le gusta controlar –Elle se le acercó un poco más–. A mi madre solo le importaban las fiestas y los bolsos. Comer con sus amigas. Era una mujer florero, y supongo que por eso yo deseaba tanto encontrar otra cosa. Triunfar en *Matte*. Conseguir mis propios logros. Pero... también la eché mucho de menos –confesó–. Aunque casi siempre me cuidaban niñeras, era mi madre y olía a champú de vainilla. Y yo la quería.

–Por supuesto –intervino Apollo–. Mi padre era un adicto al trabajo y muy distante, y también le quería. Nada podrá reemplazar lo que perdimos.

–Supongo que en cierto sentido nuestros padres escogieron dejarnos –reflexionó Elle–. Aunque mi padre podría haber escogido volver.

–O tal vez no. Tal vez sienta que no puede. No ahora. Aunque nunca es demasiado tarde para cambiar –aseguró Apollo–. Yo he sido muchas cosas en mi vida. Un niño rico, un caso de beneficencia, rico otra vez... siempre podemos cambiar lo que somos mientras tengamos aliento para respirar. Si pudieras ser cualquier cosa en la vida, ¿qué te gustaría ser?

Elle se lo pensó durante unos instantes antes de decir:

—Me gustaría ser la voz de las personas que no pueden hablar. Ser abogada. Pero de menores, por ejemplo. O de mujeres maltratadas.

—Ese es un gran objetivo.

Elle se encogió de hombros.

—Es una fantasía. En cualquier caso, siento que también estaba haciendo muchos progresos en la empresa. Que la estaba llevando a la modernidad. Ya sé que los beneficios no son precisamente espectaculares, pero los libros y los cosméticos nos han llevado a un nuevo nivel. Quiero tener la oportunidad de luchar por mi gente y por mi equipo.

—Entonces eso harás —aseguró Apollo.

—¿Por qué estás haciendo todo esto?

—Por el bebé —contestó él.

—Por supuesto.

Elle sintió entonces los párpados pesados. Estaba a punto de decirle que no era eso lo que los había reunido de nuevo, porque Apollo volvió por ella antes de saber lo del niño. Pero estaba demasiado cansada.

Nunca habían tenido una conversación completa sin terminar gritándose o haciendo el amor. Elle nunca se había sentido reconfortada por su presencia, pero ahora sí.

Estiró la mano y se la puso en el pecho, sintiendo el latido de su corazón bajo las yemas de los dedos.

Había soñado con esto. Con sencillamente abrazarla y escucharle respirar. Con compartir aquella dulce y sencilla intimidad.

Se sentía bien estando con él sin pelearse ni teniendo relaciones sexuales. Con solo estar.

Por primera vez desde hacía semanas, sintió un poco de paz. No quería dormir. Quería prolongar aquello el mayor tiempo posible. Si pudiera escoger un momento en el que quedarse, sería este.

Pero por desgracia el tiempo avanzaba. Y se quedó dormida.

Cuando se despertó por la mañana, Apollo seguía ahí. Elle esperaba en parte que se hubiera vuelto a ir, despertarse y encontrárselo a los pies de la cama exigiéndole que se marchara.

Pero eso no sucedió. Apollo estaba entrelazado a ella y desnudo. Ella todavía llevaba el vestido de la noche anterior.

Estaba despierto y la miraba con expresión extraña.

—Buenos días —dijo Elle con tono ronco—. Esta es una mañana del día después muy rara...

—No hemos tenido sexo.

—Sí, a eso me refiero precisamente.

—¿Cómo te encuentras?

—Ah, te refieres a después de... todo eso.

Apollo dejó escapar un largo suspiro.

—Sí, después de mi pésimo comportamiento.

—Un momento. ¿Tú, Apollo Savas, estás reconociendo que te comportaste de forma pésima?

—Por favor, no metas el dedo en la llaga o volveré a colocar un muro de piedra alrededor de mi corazón.

—A veces creo que tu secreto es que no eres tan cruel como aparentas.

—Todos debemos mantener nuestros misterios, ¿no te parece?

—Tal vez. Yo creo que no soy nada misteriosa. Creo que me he mostrado a ti con mucha facilidad.

—Ojalá fuera así. Me hubiera gustado entenderte mejor. Pero tengo la impresión de que no es el caso.

–Entonces es que no estás prestando atención. El hecho de que pensaras que me fuera a derrumbar al ver un anillo de compromiso demuestra que no me conoces muy bien.

–Nunca me has dejado.

Elle permitió que sus palabras calaran en ella. Sabía que tenía algo de razón.

–Lo sé. Pero desde anoche ya sabes la razón. Tenía miedo. Si te hubiera dejado tocarme a los diecisiete años, entonces nos habríamos visto en esta misma posición. Y por muy mal que lo estemos manejando ahora, ¿te imaginas cómo lo hubiéramos hecho siendo tan jóvenes?

–Habría sido una pesadilla –reconoció Apollo riéndose con amargura–. Sí, una pesadilla.

–Te tenía miedo. A lo que me hacías sentir. Siempre te he tenido miedo –reconoció Elle.

–No debes sentirte muy bien, teniendo en cuenta que te has dormido vestida.

Elle se frotó la cara.

–Supongo que me siento un poco sucia.

–Quédate aquí –Apollo se levantó de la cama y cruzó el enorme dormitorio para entrar en el baño.

Elle escuchó cómo empezaba a correr el agua. El corazón le latió con fuerza. Apollo estaba haciendo algo por ella. Algo amable. No sabía cómo lidiar con ello. Así que se quedó allí tumbada con el corazón acelerado. Apollo regresó unos instantes más tarde y se quedó en el umbral de la puerta, desnudo y sin ninguna vergüenza. Por supuesto, no tenía nada de qué avergonzarse. Su cuerpo era poesía pura.

Lo sucedido la noche anterior, que no se tocaran, fue... algo había cambiado. El hecho de que pudieran estar juntos tumbados y no gritarse ni quitarse la ropa el uno al otro había sido toda una revelación. Pero eso no significaba que estuviera lista para dejar de tocarle del todo.

Se estremeció.

–Si tienes frío, te he preparado un baño caliente ahí dentro, *agape*.

Por alguna razón, aquellas palabras tan tiernas le provocaron lágrimas.

–De acuerdo –dijo poniéndose de pie y acercándose a él.

Se detuvo delante y Apollo le sacó el vestido por la cabeza. Luego le bajó las braguitas y entonces la tomó en brazos y la dejó suavemente dentro de la bañera. El agua estaba a la temperatura perfecta. Apollo se metió en la bañera detrás de ella para que apoyara la espalda contra su pecho.

–No hemos tenido el mejor comienzo. Y cuando digo comienzo me refiero a hace diez años.

Ella asintió sin decir una palabra. Apollo le deslizó la mano por la piel mojada y Elle se estremeció. Se le endurecieron los pezones a pesar del agua caliente.

No tenía nada que ver con la temperatura, sino con la excitación.

–Pero creo que las cosas pueden cambiar entre nosotros. No estoy... no estoy enfadado contigo. Lo estaba, lo reconozco. Estaba enfadado contigo por hacerme desearte. Por crear un deseo dentro de mí que no podía satisfacer. Eso no estuvo bien.

–¿Te estás disculpando?

–Sí –admitió Apollo–. Me estoy disculpando porque te lo mereces. Fui cruel contigo y no te lo merecías.

–Pero mi padre sí –murmuró ella.

–Tu padre no tiene nada que ver con esto. Ahora

mismo se trata de ti y de mí. Podemos olvidar que nuestros padres están casados. Que tengo una sensación de traición con respecto a tu padre. Ahora mismo podemos olvidarnos de todo. Tenemos que hacerlo. Porque si queremos construir algo entre nosotros, si vamos a criar juntos a nuestro hijo, entonces debemos borrar la historia.

–¿Qué significa eso? ¿Qué implica respecto a mi relación con mi padre?

Apollo agarró un bote de champú y lo agitó entre las manos.

–No lo sé –empezó a ponerle un poco en el pelo y a Elle se le encogió el corazón. Aquello era lo que siempre había deseado. Su atención.

Estaba centrado completamente en ella ahora, como nadie lo había estado jamás. Le entraron ganas de llorar. Y lo habría hecho, pero le daba miedo demostrar esa debilidad delante de él. Era extraño, pero incluso ahora que se mostraba amable con ella sentía que tenía que levantar la guardia. Como si faltara algo. Aquello le provocó una punzada en el pecho. Porque sabía que no tendría que ser así. Pero tampoco sabía qué otra cosa podría haber entre ellos. Habían pasado muchos años siendo desagradables el uno con el otro. Aquellas eran las semillas que habían plantado para su relación.

Apollo tenía razón. Tal vez lo único que podían hacer era empezar de nuevo. Tal vez tendrían que olvidarse de su familia. Tal vez tendrían que olvidar la conexión previa que tuvieron entre ellos. Tal vez fuera la única manera.

De pronto se sintió desesperada. Por él. Quería sentir su contacto. De pronto le pareció que el mundo se iba a terminar si no sentía su boca en la suya.

Se giró ligeramente en el agua y le puso la mano

en la mejilla para ladearle la cabeza y le besó lenta y profundamente. Intentó que fuera un beso distinto a los demás. Quería que esto fuera un nuevo comienzo de algo que no fuera tóxico. Ni peligroso. Tal vez fuera más fácil, y en cierto modo más libre.

Apollo permaneció quieto durante un instante, como si estuviera pensando cómo reaccionar. Luego le sostuvo la barbilla entre el pulgar y el índice y la sujetó mientras la besaba más profundamente. La saboreó con delicadeza mientras le deslizaba la lengua por la suya. Como si tuviera todo el tiempo del mundo. Como si aquello pudiera durar para siempre.

Elle se dio la vuelta por completo y se puso de rodillas inclinándose sobre él, trazando una línea con la lengua sobre su pecho hasta el cuello, donde le besó la piel con la boca abierta. Elle lo miró y vio la luz fiera de sus ojos que indicaba que estaba a punto de perder el control. Aquello no tenía nada que ver con la ira ni con la venganza. Eran Elle y Apollo y no había nada más en medio.

Oh, cuánto anhelaba aquella conexión que era algo entre ellos dos y nada más. Elle se acercó un poco más y se colocó sobre su regazo, acercando el centro de su cuerpo al firme risco de su erección. Flexionó las caderas y se frotó contra él, lo que le provocó una oleada de placer por todo el cuerpo. Apollo bajó la cabeza y le succionó un pezón profundamente. Aquellos dos puntos de placer unidos le provocaron una sensación que amenazó con apoderarse completamente de ella. Le sostuvo el rostro entre las manos, lo mantuvo firme y clavó la mirada en la suya mientras se elevaba ligeramente sobre las rodillas. Luego se colocó sobre su erección, tomándole profundamente y suspirando mientras Apollo la completaba.

Apollo Savas había sido sexo para ella desde la primera vez que lo vio. Desde el momento que entendió lo que pasaba entre un hombre y una mujer en la oscuridad. Siempre lo había sabido. Pero se le había escapado algo. La parte más importante de la ecuación. Apollo no era solo sexo. Era algo más. Algo más profundo. Si solo se hubiera tratado de sexo no habría tenido tanto miedo. Pero Elle sabía que bajo aquel deseo, bajo la excitación básica, había algo mucho más oscuro, más temible, más peligroso.

Nunca había sido solo deseo. Ni rabia. Era amor. Era amor entonces y era amor ahora.

Lo amaba. La idea le provocó como una descarga de luz que amenazó con partirla por la mitad además del placer que estaba creándose dentro de ella. Nunca quiso amarlo. Siempre supo que él no podría amarla a su vez.

Nadie lo hacía. ¿Por qué iba a amarla Apollo? ¿Cómo iba a amarla por sí misma si ni su propio padre era capaz de hacerlo, ni tampoco su madre?

Y solo entonces fue capaz de entender que nunca lo había odiado. En realidad no. Lo había amado.

Amaba a Apollo Savas desde que era una niña. Y cuando él traicionó a su familia se había transformado en algo nuevo. Porque no podía entender que el hombre que tanto le importaba hiciera eso a su familia. Cuando se lanzó sobre él en la habitación del hotel fue el último aliento de ese amor que deseaba desesperadamente ser escuchado, ser expresado. Y cuando dijo que lo odiaba fue solo porque el odio era la otra cara de esa moneda. Tan cercana al amor. Tan peligrosamente cerca, ahora lo sabía. Porque como era el amor retorcido, se convirtió en algo feo.

Se dio cuenta entonces, mientras él la miraba con

sus oscuros ojos brillantes, que Apollo había querido a su padre. Que había querido a su familia, y que por eso todo se había retorcido de aquel modo. Por eso fue en un principio tan lejos en busca de venganza. En su afán de utilizarla. De hacerle daño.

Porque el amor podía convertirse en algo retorcido.

Apollo le agarró con fuerza las caderas y tomó el control de sus movimientos entrando en ella con embates, buscando el clímax. Y ella lo agradeció porque estaba sin fuerzas. Ya no podía seguir llevando el control de la situación. No, ahora estaba a merced de Apollo, del deseo que sentía por él.

Apollo le deslizó una mano por el trasero y lo sostuvo con fuerza, rozándole con las yemas de los dedos el punto en el que estaban unidos. Aquel pequeño contacto añadido bastó para enviarla hacia la cima. Se le nubló la mente y por un glorioso instante el placer se apoderó por completo de ella agitándola como un relámpago.

Y cuando todo terminó, cuando ella seguía todavía a horcajadas en su cuerpo y tenía la mirada clavada en la suya, un único y luminoso pensamiento le atravesó la mente.

Amaba a Apollo Savas. Siempre lo había amado, y tenía la sensación de que siempre lo amaría. Y supo con la misma certeza que él nunca la amaría a ella.

Capítulo 12

ELLE había estado muy callada desde que se levantó aquella mañana. O más en concreto, desde el momento del baño. Apollo sentía que se le escapaba entre las manos. Aunque alcanzaron juntos el orgasmo, sintió que se alejaba, y no sabía qué hacer al respecto. Ni siquiera sabía qué pensar. Si le importaba.

Podía tomarlo o dejarlo. Lo único que quería era una conexión basada en la sinceridad, en un contrato. Para eso quería casarse. Quería una garantía.

No confiaba en las emociones. En absoluto. No cuando su madre había llevado una vida tan complicada debido a los hombres que aseguraban amarla. No cuando el hombre que se había comportado como un padre con él había resultado ser el peor de los mentirosos. ¿Cómo iba a arriesgarse a confiar en los sentimientos?

Pero Elle era una criatura emotiva. Si pudiera averiguar cómo conectar con ella. Había intentado hablar, había intentado ser amable. Y la había iniciado en el sexo. Ninguna de aquellas cosas tenía la llave mágica. Ni siquiera sabía si existía esa maldita llave mágica. Todo le resultaba desconcertante.

Recorrió el ático aprendiéndose la distribución de su nuevo hogar. A pesar de lo que había dicho antes respecto al tiempo que iba a pasar con Elle y con su hijo, tenía intención de trabajar la mayor parte del

tiempo en Estados Unidos a partir de ahora. Su padre
le había abandonado al suicidarse. Su padrastro había
demostrado ser un impostor. Apollo no permitiría que
su hijo llevara una vida con aquella nube sobre su cabeza. El dinero solo resolvía algunas cosas. Eso lo
tenía claro.

Ojalá el afecto de Elle fuera una de esas cosas que
podía comprarse con dinero. Todo sería mucho más
sencillo así. Y sin embargo ahora tenía que resolver
uno de los mayores misterios del mundo. Las emociones femeninas.

Mientras pensaba en todo aquello sonó su móvil en
el bolsillo. Contestó sin mirar quién llamaba.

—Savas.

—¿Qué diablos estás haciendo con mi hija?

Al otro lado de la línea Apollo escuchó la voz de
su enemigo.

—Eso depende de lo que hayas oído.

—He visto el titular en la sección de sociedad esta
mañana. Anoche te declaraste en un restaurante. Dicen
que te rechazó y que salisteis de allí a toda prisa.

—Entonces no entiendo para qué me llamas. Está
claro que Elle sabe manejarse por sí misma.

—Te llamo porque quiero saber qué te hizo pensar
que mi hija aceptaría tu declaración. Y no me digas
que querías humillarte en público, Apollo, porque no
me lo voy a creer.

—Cualquiera pensaría que me conoces —aseguró él
con tono ligero—. Pensé que me diría que sí.

—Después de todo lo que he hecho por ti...

—Sí, provocar el suicidio de mi padre, chantajear a
mi madre para que tuviera una relación contigo,
¿cómo es que no te estoy agradecido?

—Yo no provoqué el suicidio de tu padre, y lo sabes

muy bien. Tu padre tomó sus propias decisiones. Sin duda fue despiadado echarle de la empresa, pero lo que sucedió después fue su decisión, no mía.

—Para mí tú apretaste el gatillo. Nada de lo que digas o hagas podrá convencerme de lo contrario.

—¿Y por eso utilizas a Elle para vengarte?

Apollo estuvo a punto de decirle que eso era exactamente lo que estaba haciendo. Quería decirle al otro hombre que había corrompido a su única hija. Que la había dejado embarazada. Que ahora él tenía el poder. Pero entonces ella entró en el salón con un pantalón de chándal y una camiseta ancha. Tenía un aspecto dulce y vulnerable, y Apollo se dio cuenta de que no podría decir aquellas cosas. No podría utilizarla de aquel modo. Elle le había pedido que la viera como una mujer, y eso había hecho. Fue él quien sugirió que lo dejaran todo atrás y empezaran de nuevo.

—Lo creas o no, mi relación con tu hija no tiene nada que ver contigo.

Ella giró la cabeza hacia él y abrió los ojos de par en par.

—No me lo creo —afirmó David.

—Me da lo mismo. Es la verdad. Quiero conseguirla como sea. Quiero que se case conmigo.

—¿Por qué es tan importante para ti?

—Porque la deseo.

—¿Y la amas?

La pregunta acertó de pleno en el objetivo como una flecha. A Apollo le temblaron las rodillas. Pensó en el amor, en lo que significaba para él. A su manera, su madre le había querido. Era una mujer frágil, lo que no era de extrañar considerando todo lo que le había sucedido. Y a veces Apollo se había preguntado si no le quedó más opción que alejarse para protegerse de un mayor dolor. Tras la pérdida de su marido, tras verse chantajeada para casarse con un hombre al que no había escogido. El padre de Apollo estaba tan consumido por su deseo de adquirir cosas materiales, con su estatus que había preferido la muerte antes que quedarse a proteger a su mujer y a su hijo. En ese sentido, Apollo no podía negar las palabras de David. El suicidio fue una decisión de su padre. Y de nadie más. Aunque sabía que habían entrado en juego muchos factores como la depresión y los problemas mentales, no podía evitar sentirse abandonado y enfadado.

Y luego estaba David St. James, que le había aceptado como parte de la familia. Había sido un padre para él. Más que el suyo propio. Le había criado, le había enseñado el valor del trabajo duro, había pagado sus estudios. Aunque era un hombre a veces distante, era una figura sólida en la vida de Apollo. Un ejemplo a seguir. Descubrir los extremos a los que había llegado para quedarse con su madre, como si fuera un objeto que pudiera adquirir y no un ser humano le había mostrado lo profunda que podía llegar a ser una mentira. El hecho de que lo que sentía por David no pudiera borrarse de la noche a la mañana era la prueba de lo traicionero y difícil que podía ser el amor.

Y peor todavía, toda aquella situación era la prueba de que su amor retorcía las cosas. Las cambiaba de un modo permanente y feo. Apollo era como una cerilla que se acercaba a algo frágil y lo quemaba.

No podía hacerle eso a Elle. No lo haría.

–No –afirmó.

–Entonces no te la mereces.

Y dicho aquello, David colgó. Aquellas palabras resonaron en la mente de Apollo cuando se giró a mirar a Elle, que le observaba confundida.

–¿Era mi padre?

–Sí. No está contento conmigo. Al parecer tu rechazo ha salido en el periódico y lo ha visto.

–¿Y qué te ha preguntado?

–Sí me estaba vengando en ti –dijo Apollo–. Le he contestado que no.

–Sí, eso lo he entendido. Pero, ¿cuál ha sido la última pregunta que te ha hecho?

A Apollo se le formó un nudo en el estómago.

–Me ha preguntado si te amo.

Elle cerró los ojos y palideció.

–Has dicho que no.

Elle sintió que el suelo desaparecía bajo sus pies. Estaba impactada y feliz al ver que Apollo no había aprovechado la oportunidad para arremeter contra su padre. Al ver que no la utilizaba a ella como arma.

Pero cuando su padre le preguntó si la amaba, había contestado que no.

Elle se dio cuenta de que aquello era innegociable para ella. Necesitaba amor. Necesitaba que Apollo la amara. No había nada más importante. Nada en absoluto.

Lo había disfrazado de todas las manera posibles. Intentó convencerse a sí misma de que lo único que quería era respeto. Que necesitaban encontrar una base común. Que solo quería a alguien que la quisiera como era y no como un arma que utilizar dentro de un plan. Pero tras el encuentro en el baño, tras la intensidad de lo que sentía por Apollo, supo que no era así. Necesitaba más. Lo necesitaba todo. Y todo lo demás sería hacerse un flaco favor a sí misma.

–No puedo casarme contigo –afirmó.

–¿De qué estás hablando? Esta misma mañana me has demostrado lo irresistible que me encuentras.

–Eso es sexo, Apollo. Eso nunca nos ha fallado. Cuando yo me portaba mal contigo, tú seguías deseándome. Cuando tú me dejaste sin trabajo y traicionaste a mi familia, yo seguía deseándote. Pero eso no es suficiente para un matrimonio. No es suficiente para mí. Esta mañana me he dado cuenta de algo.

–¿De que lo que dices no tiene sentido?

–De que te amo. Te amo con toda mi alma. Siempre ha sido así. Pero no puedo, no quiero continuar con esta vida basada en restos dejados por ti y por mi padre. Soy la directora ejecutiva de *Matte* porque él quería ponerse en tu contra, no porque considerara que sirvo para el puesto. Estoy esperando un hijo tuyo porque tú querías hacerle daño, y esa es la realidad.

–No –afirmó Apollo con voz ronca–. Esa no es la realidad. Cuando te hice mía contra la pared de la habitación del hotel no tenía ningún motivo oculto, ni tampoco cuando te tomé en el ascensor.

–¿Por qué iba a creerte?

–Porque es la verdad. Cuando te tomé por segunda vez decidí usar lo que había entre nosotros para vengarme. Pero porque necesitaba una justificación para lo que despertabas en mí.

–¿Y por qué volviste?

–Porque no había terminado contigo.

–Ese es el problema –afirmó Elle–. No soy un objeto que puedas tomar y dejar a tu conveniencia. Soy un ser humano. Tengo sentimientos. Te amo y merezco ser amada a mi vez –sacudió la cabeza–. Si no puedes darme eso, iré a buscar a alguien que sí pueda.

La expresión de Apollo se endureció completamente.

–Tienes razón. Si eso es lo que quieres, eso es lo que debes buscar.

Ella sintió que el corazón le latía con fuerza en un espacio vacío.

–¿Eso es todo?

–Estamos en un callejón sin salida, Elle. Yo no puedo amar y tú exiges que lo haga. No quiero retenerte prisionera. No encuentro satisfacción en hacerte desgraciada. Las cosas han cambiado.

–Tal vez eso signifique que sientes algo por mí.

–No –afirmó Apollo con tono decidido–. No puedo.

Elle se sentía como si la hubieran apuñalado, como si estuviera desangrándose en el suelo. Esperó a que se le ocurriera algo, algún comentario perspicaz que la rescatara, pero no sucedió. No había nada tras lo que esconderse. Solo había amor y dolor en igual medida.

Y quería que él lo viera. Quería que lo supiera. Se había cansado de esconderse. Lo había escondido todo durante muchos años. Su dolor, su deseo, su amor. Al diablo con el orgullo, ya no lo haría más.

–¿Por qué? –preguntó–. ¿Por qué haces esto? No hay nada que nos detenga, nada que detenga esto excepto tú, y no puedo entenderlo.

–Todo lo que amo se convierte en polvo, Elle. No quiero menoscabarte.

–¡Toda mi vida me han menoscabado! –gritó ella–. He intentado mantener el paso, hacer lo que mi padre quería, intentar evitar justo lo que me está pasando contigo.

Tragó saliva. Estaba temblando. Todos los sentimientos que había contenido durante décadas salían ahora a borbotones.

–Eso ya se acabó. Ahora soy yo la que exige.

Apollo se la quedó mirando un instante fijamente.

–No puedo hacer lo que me pides –y dicho aquello se apartó de ella y salió del ático, cerrando la puerta suavemente.

Elle tuvo la sensación de que no volvería.

No quería una vida a medias, un amor a medias. No quería un futuro con un hombre que no era capaz de darle lo que ahora sabía que necesitaba desesperadamente.

Así que le dejó ir. E hizo un esfuerzo por no llorar.

Elle se acercó al despacho de su padre con gran turbación. Iba a decirle que renunciaba oficialmente a *Matte*. Y también iba a contarle lo del bebé y que no se casaría con Apollo. Aspiró con fuerza el aire para intentar calmar la presión del pecho. Luego alzó la mano y llamó a la puerta.

–Adelante.

Elle giró el picaporte, abrió la puerta y entró a toda prisa.

–Hola, papá.

–Elle –David hizo un gesto para que se sentara frente a su escritorio como si se tratara de un asunto de negocios–. Siéntate.

–Supongo que te preguntarás por qué quiero hablar contigo –dijo ella obedeciendo.

–No te creas. Supongo que tiene que ver con Apollo. ¿Has decidido casarte con él?

–Al contrario, he decidido que no puedo continuar con esta relación.

–Lo que no entiendo es cómo empezó esa relación. Apollo se volvió contra mí y luego te despidió para después volver a contratarte, ¿no es así?

Elle se sonrojó un poco.

—Entiendo lo que insinúas pero no fue así. Además, voy a dejar *Matte*. Voy a volver a la universidad. Voy a averiguar qué quiero hacer independientemente de tus aspiraciones y de la suyas. Llevo demasiado tiempo atrapada entre el fuego cruzado. Quiero saber qué soy capaz de hacer más allá de ser tu escudo para bloquear la ira de Apollo.

—¿Es eso lo que piensas? ¿Y por qué no has dicho nunca nada?

—Bueno, quería mantener la paz. Quería ser la hija que necesitabas. Pero eso ya se acabó. Necesito ser la persona con la que esté contenta yo, no con la que estés contento tú.

—¿Yo te obligué a aceptar ese puesto en *Matte?* —le preguntó su padre con tono duro.

—No puedes negar que me usaste para colocarme entre Apollo y la destrucción de la empresa. No tenía nada que ver conmigo. Nunca intentaste darme el control. Siempre quisiste un hijo, y hasta que se portó mal, Apollo fue ese hijo para ti. Me utilizaste.

David se encogió de hombros. Las líneas de su rostro parecían de pronto más pronunciadas.

—Sí, te usé. Pero, ¿de qué otro modo podía defender mi legado? Sabía que tú podías hacerlo, Elle. No me cabía duda de que Apollo sentía algo por ti. Y pensé que tal vez modificaría su modo de actuar si tú estabas en la línea de fuego.

—¿Así que me usaste como blanco?

—Yo sabía que tú eres fuerte. Puedes pensar que lo hice porque no te respeto o no te valoro, pero es todo lo contrario. Eres fuerte. No hubiera escudado a un hijo de algo así ni tampoco quise hacerlo contigo.

—¿Se supone que debo estar agradecida?

—Yo creo que sí —afirmó David.

–¿Por eso echaste al padre de Apollo de la empresa años atrás? ¿Porque no se te ocurrió otra manera de poder estar con Mariam?

–Sí –respondió él con seguridad–. Era la única manera que se me ocurrió de conseguir a Mariam. Así que hice lo que pude. Pero ella se quedó a su lado. Tenía un hijo suyo. Y a pesar de todos mis pecados, yo nunca tuve eso en contra de Apollo, que fuera el resultado de una unión que yo despreciaba.

–No te van a dar una medalla por eso, papá –afirmó Elle–. Te portaste de forma horrible.

–Es verdad –David tenía un tono duro–. Y volvería a hacer lo mismo otra vez. Tomaría las mismas decisiones. Mi intención no era que su padre se suicidara Elle. No soy adivino. No podía prever el resultado. Pero sí pensé que Mariam le dejaría cuando él no tuviera nada y yo lo tuviera todo. Me equivoqué.

–Ella lo amaba.

Su padre asintió lentamente con la cabeza.

–Sí. Pero creo que con el tiempo ha aprendido a amarme a mí.

–¿Se lo has preguntado alguna vez?

Su padre adquirió una expresión pétrea.

–No. Pero no creo que sea importante. Ahora no.

A Elle se le encogió el corazón.

–Creo que siempre es importante. No importa cuándo llega el amor siempre y cuando sepas que está ahí. ¿Ella sabe que la amas?

–Destruí su mundo para traerla al mío. Despejé mi mundo para hacerle sitio. Si eso no es amor, entonces no sé qué es.

Estaba claro que no lo sabía. Su padre no entendía que el amor era cosa de dos. Que era cuestión de dar en lugar de tomar.

Era un hombre implacable. Estirado. Todo arrogancia. Incapaz de girarse para mirar de verdad a otra
parte.

–Creo que tal vez el amor no consiste en destruir el
mundo de nadie. Ni en mover a las personas como si
fueran piezas de ajedrez –murmuró con voz temblorosa–. Tal vez consista en dar más que en recibir. En
demostrarlo, aunque la otra persona nunca lo demues-
tre. Ser amable a pesar de que la otra persona sea
cruel. Creo que el amor no siempre es equilibrio, pero
si los dos están dispuestos a dar más que a recibir...
puede ser un tesoro bello y excepcional.

–Yo no sé nada de eso, Elle –reconoció David–.
Solo sé que te tengo a ti y que todavía tengo a Mariam. Creo que eso ya es un éxito.

–¿Tú me quieres? –no pasaba nada por preguntar.
Ya había sido rechazada por Apollo, así que no tenía
sentido protegerse en aquel momento. Ya había sido
rechazada. No le pasaría nada por echar un poco de
sal a las heridas.

Su padre se la quedó mirando fijamente un instante.

–¿No lo sabías? –preguntó.

–¿Cómo iba a saberlo? –respondió a su vez ella.

–Soy tu padre, Elle.

–Eso no garantiza nada.

–Soy un hombre que ha construido su vida tomando decisiones despiadadas. No me hice rico siguiendo las normas. No conseguí a mi mujer jugando
limpio. Le hice daño a Hector. Hice daño a tu madre.
Nunca he sabido cómo tratar con las personas de mi
vida. Pero a pesar de todo, yo te quiero.

Seguía siguiendo algo indirecto. Impersonal. Pero
Elle tuvo la sensación de que no podía hacerlo mejor.

También se vio por un instante en la mirada de su padre. Esperando recibir lo que quería, que se cumplieran las condiciones que esperaba. No, ella no estaba siendo poco razonable al desear el amor de Apollo. Pero tenía que pensar de dónde venía.

Apollo estaba roto. Bateado por la vida. La gente en la que había confiado lo abandonó. Lo traicionó. Necesitaba que alguien le demostrara que las cosas eran diferentes. Necesitaba que alguien permaneciera a su lado pasara lo que pasara.

Elle haría eso por él. Por ella. Lo amaba, y su amor bastaría para los dos.

—Te quiero —dijo entonces, porque pensó que le vendría bien decírselo a otro hombre al que también le costaba oírlo. Quería seguir practicando aquel nuevo comienzo en el que ya no se escondía—. A pesar de todo.

—Yo no he cambiado —admitió su padre—. Soy el mismo hombre que conoces. Solo sabes un poco más de la historia.

—Bueno, está bien conocer toda la historia. Eso no significa que crea que hayas tomado buenas decisiones.

—Nunca le pedí a nadie que estuviera de acuerdo con ellas. Me hice mi propia cama, y dentro está la mujer que amo. ¿Cómo iba a arrepentirme?

—Bueno —dijo Elle—. Yo voy a ir a buscar ahora al hombre que amo. Porque es un cabezota y está asustado. Y me parece bien, siempre y cuando yo pueda estar a su lado. Ah, voy a tener un hijo suyo, por cierto. Creo que eso es relevante.

Aquello pareció dejar conmocionado a su padre. Alzó las grises cejas y se quedó boquiabierto.

—¿No se te ocurrió comentármelo antes?

–Nos hemos puesto filosóficos y me pareció que esta podría ser la única ocasión. Pero Apollo es el padre de mi hijo. Tú estás casado con su madre, así que los dos seréis los abuelos del niño –Elle frunció el ceño–. Es muy complicado. Y vas a tener que hacer las paces con él de alguna manera.

–Tal vez no sea posible. Como tú has dicho, la historia completa cambia las cosas. Y en cuanto a él, creo que me considera un villano. Y no puedo negar que lo fui en el pasado. Intenté compensarle dándole todo lo que podía. Pero como tú misma me has señalado, mis demostraciones no son siempre claras.

–Los dos habéis causado mucho daño. Peleando, buscando venganza, persiguiendo lo que vosotros queríais sin pensar en los demás... eso tiene que acabar. Aunque solo sea una tregua temporal. Pero tiene que parar. Yo no puedo estar en el medio. Y mi hijo tampoco.

–¿Y si tienes que elegir entre él o yo?

–Lo elegiría a él –afirmó Elle sin vacilar–. Suponiendo que él sienta lo mismo.

Su padre asintió lentamente con la cabeza y sonrió.

–Tal vez incluso puedas entender mis decisiones más despiadadas.

–En lo que a Apollo se refiere, sé que puedo ser despiadada. Y en cuanto a mi hijo... por él mato.

–Me temo que yo fui demasiado egoísta para tomar esa decisión –reconoció David–. Por otra parte, no soy tan orgulloso como tú.

–¿Qué quieres decir?

–A mí no me importaba que Mariam sintiera lo mismo que yo. Solo me importaba tenerla.

–Bueno, yo he vivido así durante mucho tiempo y ahora sé que eso no me sirve.

Su padre la miró con... orgullo. Por primera vez podía decir que lo había sentido. Fue un momento extraño porque no le resultó ningún triunfo. Solo se sintió... triste. El orgullo era un pobre consuelo para un corazón roto.

–Necesito ser amada –repitió Elle–. Y necesito asegurarme de que mi hijo no será utilizado como un peón. Ni para que Apollo te haga daño ni para que me haga daño a mí. Creo que descubrirás que mi amor por mi hijo será el más despiadado de todos.

–Adelante entonces –dijo su padre–. Díselo. Ve y muéstrate despiadada por amor.

Capítulo 13

APOLLO no era ajeno a la desesperación. Aunque no fue absolutamente consciente de la pérdida de riqueza cuando era niño, sí sintió la falta de su cómoda cama y de su casa. Y después de eso, la pérdida de su padre. Y luego la del hombre que había llegado a considerar un padre.

Pero nunca había experimentado una pérdida como aquella. Una pérdida que era en muchos sentidos culpa suya. Cuando perdió su modo de vida y el dinero no pudo hacer nada, ni tampoco cuando descubrió la auténtica naturaleza de David St. James. Pero ahora... con Elle tuvo opción. La posibilidad de decirle lo que ella quería escuchar, encontrar el modo de ser el hombre que ella necesitaba. Pero decidió darse la vuelta.

—Cobarde —dijo en voz alta en el despacho vacío. Se acercó a la ventana y miró a la ciudad. Había vuelto a Grecia porque no sabía qué más hacer. No sabía dónde ir. Se sentía inútil, y hacía mucho tiempo que no experimentaba aquella sensación. No le gustaba. Lo más mínimo. Aquella era una de las razones por las que le había dado la espalda a David St. James.

Porque cuando supo la verdad fue un golpe mortal, como si le hubieran cortado las piernas de golpe. Y era una sensación muy desagradable.

«¿Orgullo herido, Apollo? Es una razón muy nimia para buscar venganza. Para agarrarse a la ira».

Pero lo que había pasado su padre... y su madre...

Sabía que debería hablar con su madre. Pero lo cierto era que le daba miedo escuchar lo que tenía que decir. Lo tenía desde que supo la verdad sobre David tres años atrás. No quería escuchar lo que ella tenía que decir. Por temor a que lo amara. Por temor a que fuera feliz. Por temor que apoyara las decisiones que había tomado su marido ya que habían resultado en su unión.

Pero ahora sabía que tenía que preguntárselo. Sabía que necesitaba averiguar por qué se había quedado.

Sacó el móvil, marcó su número sin pensar que era muy temprano en Nueva York.

–¿Hola?

–Hola, mamá.

Apenas habían hablado durante los últimos tres años, y cuando lo habían hecho era con pinzas. Porque su madre sabía que Apollo estaba buscando venganza contra su marido, y aunque se guardaba sus sentimientos para sí misma, Apollo siempre tuvo la sensación de que no lo aprobaba. Al parecer no le apoyaba, porque no le había pedido que la llevara a Grecia con él. No tenía por qué haberse quedado con David St. James y, sin embargo, lo hizo.

–¿Por qué? –le preguntó Apollo sin más preámbulo. No había sido su intención lanzarse así, pero no pudo contenerse.

–¿Por qué, Apollo?

–¿Por qué te quedaste con él? No lo entiendo. A mí se me ocultó la verdad sobre David St. James toda la vida, pero a ti no. Tú sabías perfectamente qué clase de hombre es. Y aun así te quedaste a su lado. Podrías haberte marchado. Yo hubiera cuidado de ti y nunca te habría faltado nada.

Se hizo el silencio al otro lado de la línea.

–Sí –murmuró ella–. Sé qué clase de hombre es. Conozco a David St. James desde mucho antes de que tú nacieras. Lo conocí al mismo tiempo que a tu padre. No sé por qué, pero tengo tendencia a amar a hombres duros. Aunque creo que tal vez eso sea bueno para ti.

Apollo se rio entre dientes.

–Supongo que sí.

–Yo amaba a tu padre. Me quedé con él cuando lo perdió todo. Incluso cuando David lo echó de la empresa.

–David lo hizo para hacerle daño.

Mariam continuó como si nada.

–Creo que ya en aquel entonces tu padre tenía un problema con las drogas. Aunque no tan grave como fue después. Trabajaba muchas horas y necesitaba algo que lo ayudara a mantenerse en forma. Era muy competitivo. No quería dormir. Yo apenas le veía. Y... mentiría si dijera que éramos completamente felices. Pero nunca le fui infiel. Yo sabía que David sentía algo por mí. Pero había escogido a Hector. Así que me quedé con él. Hasta el final, cuando todo fue tan duro. Cuando murió ya no era el hombre que yo había conocido.

–Por culpa de David St. James.

–Sí y no. Los negocios son un territorio duro y despiadado, siempre fue así. Muchos hombres pierden todas sus posesiones materiales y salen a flote.

A Apollo le estaba costando trabajo procesar sus palabras.

–¿Estás diciendo que no le guardas ningún rencor al hombre que nos hizo pasar por todo eso?

–Lamento decirte que culpo mucho más a tu padre que a David. Sí, él le echó de la empresa, pero si tu padre hubiera tenido más cuidado no habría sido destituido. Si no se hubiera dejado llevar completamente, podría haberse recuperado del golpe. Yo no tenía ninguna habilidad. No era más que una chica de pueblo que solo sabía coser. Y mientras eso pudiera proporcionarnos algunos ingresos, nunca permitiría que cayéramos en la pobreza. Cuando David se puso en contacto conmigo... estoy orgullosa de lo que sucedió después de eso, porque a pesar de todos mis pecados, de mi lealtad dividida, de lo único que me arrepiento es del papel que haya podido jugar en la destrucción de su matrimonio.

Apollo tragó saliva. Le resultaba difícil escuchar algo así. Asumir el papel de su propia madre en todo aquello.

–Sí, bueno, tenías un hijo del que ocuparte.

–Él no me obligó a tener una aventura –afirmó Mariam con tono suave–. Eso fue mi elección. Cuando descubrió cómo estábamos viviendo nos pidió que viniéramos, se ofreció a pagarme una casa y a ocuparse de ti. Tener una relación no formaba parte del trato. Pero... yo me sentía sola. Y me di cuenta de lo que podría haber tenido. Me arrepentí de no haberle escogido a él. Porque parecía más fuerte. El error fue mío, Apollo. Suyo también, pero no le eches toda la culpa a él.

–Bueno, a su exmujer no le importó lo suficiente su propia hija como para quedarse cerca cuando se divorciaron.

Su madre suspiró.

–No. No lo hizo. Aunque eso no es excusa para mis acciones. Pero quiero a Elle como si fuera hija mía.

–Ella lo sabe.

–Eso espero. Hubo un tiempo en el que creí que tú también sabías que David te quería como a un hijo.

–Eso creía yo –reconoció Apollo–. Pero supe los extremos a los que había llegado para tenerte con él no pude quedarme en su casa como si fuera su hijo.

–Lo hecho, hecho está –reflexionó Mariam–. Tal vez no estuviera bien, pero ya está hecho.

–Yo le quería –dijo él–. ¿En qué clase de hijo me convierte eso? No soy capaz de querer sin que eso se convierta en algo tremendamente retorcido. Tú tenías que ocuparte de mí y eso te forzó un poco. Yo quería a mi padre, pero eso no fue bastante para hacer que se quedara...

–Nada de todo este lío es culpa tuya. No deberías cargar con ella. Nosotros no nos comportamos como adultos, dejamos que nuestros hijos se vieran en medio del fuego cruzado. Ninguno de los dos lo merecíais. Ojalá tu padre no se hubiera suicidado. Pero tampoco era simplemente una víctima. Tu amor no sacó lo peor de nosotros, Apollo. Tu amor fue lo mejor de nosotros.

Apollo tragó saliva. Sentía de pronto un nudo en la garganta.

–Nada de todo esto es sencillo –murmuró–. No sé cómo se supone que debo lidiar con ello.

–No puedo responder a esa pregunta por ti. Sé que agarrarse a la ira no beneficia a nadie. Ni tampoco agarrarse al pasado. Eso no es bueno. Es lo que hizo Hector. Y terminó con él. Toda la ira que sentía hacia David... odiaría que tú sufrieras el mismo destino.

–Entonces... ¿tú te limitarías a perdonar?

–No puedo tomar esa decisión por ti, Apollo. Desearía por tu bien y por el de la familia que fueras capaz de perdonar. Pero es cosa tuya. Tal vez yo hice mal al perdonar. No lo sé. Solo sé que tuve varias opciones delante y escogí la que me hizo más feliz.

–Nunca podremos ser una familia como antes –aseguró Apollo–. En parte porque aunque tú quieras a Elle como a una hija, yo no la quiero como a una hermana.

Su declaración fue recibida con silencio.

–Ya lo sé –dijo su madre finalmente–. Siempre lo he sabido.

Aquellas palabras estuvieron a punto de derrumbarle. Su madre lo había sabido siempre porque sus sentimientos siempre habían estado allí. Cada acto, cada crueldad, toda la rabia que hubo entre ellos a lo largo de los años estaba ahí simplemente para disimular aquel hecho.

Ante sí mismo.

No había podido ocultárselo a su madre.

–No sé cómo estar con ella.

–No podemos cargar con todo, Apollo. Yo he llevado una vida imperfecta y si algo he aprendido es que en algún punto debemos dejar nuestras cargas en el suelo para poder recoger cosas que llevemos con más agrado. Son las decisiones que tomamos. No podemos esperar que la rabia desaparezca por sí sola, tenemos que tomar decisiones. Algunas serán muy duras, pero debemos hacerlo si queremos avanzar.

–Yo sé lo que quiero –reconoció Apollo–. Pero no sé si puedo tenerlo.

–Estás enfadado con David y eso es comprensible. Quieres venganza, y eso también lo puedo entender. Pero creo que eres consciente de cómo la venganza puede estropearte la vida. Si niegas tu amor por Elle solo porque quieres castigar a David St. James, entonces no es a él a quien haces daño, sino a ti.

–¿Te quedaste a su lado porque lo amabas?

–Que Dios me ayude, sí –afirmó Mariam–. Aunque a veces no se lo merece. Y creo que a su modo él también me ama.

Apollo no podía decir que envidiara a su madre ni a su matrimonio. Y, sin embargo, aquella pareja se amaba. A él no le cabía ninguna duda de que también amaba a Elle. Y eso significaba que aunque fuera arriesgado quería darle todo lo que pudiera. Lo que tenía. Quería dárselo todo.

–Tendré que hacer que vuelva –dijo finalmente.

–Espero que lo consigas –contestó su madre–. Espero que no sea demasiado tarde.

Apollo colgó el teléfono y volvió a girarse hacia la ciudad que se extendía ante él. Tenía que subirse al primer avión. O tal vez debería llamarla. Pero no sabía si aquel tipo de disculpas podían pedirse por teléfono. La había hecho mucho daño, le había dicho cosas terribles. Dolorosas. No merecía su perdón. Pero si David St. James había logrado el amor de la mujer que amaba después de todo lo que había hecho, ¿por qué no iba a conseguirlo Apollo?

Se dirigió a la puerta de su despacho justo cuando se abría. Y entraba Elle con la cara roja seguida de Alethea.

–Lo siento, señor Savas –dijo su asistente–. Insistió en que quería verle.

–Así es –afirmó Elle con expresión decidida.

–No pasa nada, Alethea.

La mujer asintió, se giró sobre los talones y salió del despacho.

–Tenía que verte –le espetó Elle sin preámbulo–. Hay algo que debo decirte.

A Apollo se le subió el corazón a la boca.

–No se trata del bebé, ¿verdad?

–No, el bebé está perfectamente.

–Bueno, antes de que te lances a hablar debo decirte que ahora mismo iba de camino a verte –se lanzó Apollo–. Quería decirte algo. Esta mañana he hablado con mi madre.

–Eso tiene gracia. Esta mañana yo he hablado con mi padre antes de venir.

–Entiendo. Yo necesitaba saber por qué se quedó con él. Cómo había conseguido dejarlo todo en el pasado. Me ha aclarado varias cosas. Por ejemplo, que tu padre no la obligó a tener una relación con él. Para mí es importante saberlo. Mi madre admite que no manejaron bien la situación, pero él no la forzó.

Ella pareció visiblemente aliviada con la revelación.

–Me alegra oír eso. No es algo que mi padre admitiría como si tal cosa. Es un hombre obstinado. Creo que lo que menos le gusta en este mundo es hablar de sus sentimientos. Pero me reconoció que ama a tu madre.

–Ella también lo ama a él –dijo Apollo–. Consiguió dejar ir todo lo que había sucedido tantos años atrás y se enamoró de él.

–Nosotros no tenemos ni la mitad de problemas que se interpongan entre nosotros y sin embargo no somos capaces de resolver nuestras diferencias.

–Hay una razón muy sencilla para eso –afirmó él–. He sido un cobarde. No fui capaz de admitir lo que sentía por ti nueve años atrás y tampoco la semana pasada. Pero te amo, Elle. Siempre te he amado.

Elle se quedó mirando a Apollo con gesto de asombro. Había dicho que la amaba. Que siempre la había amado pero que no fue capaz de admitirlo. No se lo esperaba. Había volado hasta Atenas y había entrado en su despacho esperando una pelea cuando le dijera que no habría venganza. Que lo iban a dejar todo atrás por amor. No por el suyo, sino por el amor de su hijo. Y sin embargo ahí estaba Apollo... diciendo que la amaba.

—Tenía un discurso preparado —murmuró Elle—. Quería que supieras que nuestro hijo es todo. Que nunca lo utilizaría para vengarme de ti ni tampoco permitiría que tú lo usaras para hacerme daño. Y que bajo ninguna circunstancia permitiré que nuestro hijo se vea en el medio de tus asuntos con mi padre.

—Eso no va a pasar.

—Ahora lo veo. Porque tú... pero yo... —Elle sintió de pronto una punzada en el pecho—. Lo siento. Tú me amas y yo lo sabía. Pero no confiaba en que fuera verdad.

—¿Por qué ibas a conformarte con menos de lo que mereces, Elle? ¿Por qué me ibas a esperar?

—Porque el amor no se trata de lo que uno se merece.

—Afortunadamente para mí —murmuró Apollo.

—Y para todos. Vamos a tener un hijo, y somos la prueba de que los padres comenten errores con sus hijos. Aunque los quieran.

—Eso es cierto.

—El amor es... algo más grande que andar contando puntos. Cuesta más de lo que nunca podríamos ganar. Al menos así debería ser. Quiero que sepas aquí y ahora que te amo sin reservas. Y que creo que tú me amas. Entiendo por lo que has pasado. Entiendo que te han utilizado —Elle aspiró con fuerza el aire—. Puede que tu madre haya podido perdonar a mi padre, pero ella lo sabía desde el principio. Tu confianza fue traicionada, y la suya no.

Apollo sacudió la cabeza.

—La culpa que tenía por haber considerado a David una figura paterna era lo que de verdad me enfurecía.

—Lo entiendo. Porque yo he vivido algo parecido contigo. Pero aunque lo reconociera, no podía dejar de sentirlo.

—No quiero que dejes de sentirlo, mi dulce y bella Elle —afirmó Apollo—. Te quiero con todo lo que eres. Con todo lo que serás. Quiero a la mujer que eres, no a la mujer que me va a facilitar la vida. No te quiero solo porque seas la madre de mi hijo.

Elle sacudió la cabeza.

—Eres el hombre más valiente que he conocido en mi vida —aseguró—. Porque te has abierto de nuevo al amor a pesar de que abusaron de ese amor en el pasado.

—No creo que me merezca una medalla por aceptar un regalo tan hermoso como tu amor —dijo Apollo—. Cuando veo los errores que cometieron mi madre y tu padre en su búsqueda de amor, de dinero y de éxito, solo veo una triste maraña. Y al final supongo que lo que nuestros padres encontraron fue el amor.

—Sí —afirmó Elle—. Creo que eso es verdad.

—Pero yo quiero algo más que eso. Quiero algo más profundo. Nada de ira, ni de orgullo ni de todos esos años perdidos.

Elle se rio suavemente.

—Supongo que ya hemos perdido unos cuantos años.

—Pero ya no más. Para mí solo existes tú, Elle. Solo tú. Quiero construir una vida contigo. Contigo y con nuestro hijo. Me pondré de rodillas y te suplicaré si es necesario, porque el orgullo no es nada más que polvo si me aleja de ti.

—Por mucho que me agrade la idea, no necesito que me supliques. Yo ya te amo. No necesito que hagas nada para conseguir mi aceptación.

Apollo salvó el espacio que había entre ellos y a Elle se le aceleró el corazón cuando la estrechó entre sus brazos. Aquello nunca desaparecería. Nunca envejecería. Las cosas nunca habían sido más intensas entre ellos debido a la ira. Esa ira había cubierto simplemente la verdadera intensidad. Ahora era más grande. Más brillante, más profundo. Ahora Elle sabía que la ola de adrenalina que la atravesaba cada vez que le veía no era odio sino amor después de todo.

—Te amo —dijo Apollo—. Y renuncio a mi ira, mi necesidad de venganza, mi desconfianza y cualquier otra cosa que puede empañar mi habilidad para darte todo lo que te mereces. Porque si tengo que estar lleno, entonces estaré lleno de amor por ti.

—Estaba muy dolida, Apollo. Tenía miedo que solo me quisieras para vengarte. Para hacer daño a otras personas. Nunca sentí que mi padre me quisiera por mí misma. Nunca sentí que alguien en mi vida me quisiera sencillamente por ser quien soy. Pero aquí estás tú pidiéndome que sea yo misma... me cuesta trabajo creerlo.

—Entonces dedicaré toda mi vida empezando por este momento hasta el final de mis días demostrándote lo mucho que te amo en lo bueno, en lo malo y en todo lo que suceda en medio. Haré todo lo posible para que nunca dudes de que tú eres la mujer que amo, ya seas directora ejecutiva, abogada, pastelera o mujer policía.

—Nunca te he dicho que quisiera ser pastelera o policía.

–Pero podrías querer serlo. Puedes ser cualquier cosa que desees y seguirás siendo Elle. Y yo te seguiré amando.

–Hay una gran cantidad de libertad en eso –a Elle se le hinchó el pecho por la emoción–. No sabes lo que significa para mí.

Apollo la atrajo hacia sí y la besó en los labios.

–Entonces demuéstramelo, Elle.

Epílogo

ELLE lo hizo. Y lo siguió haciendo los días posteriores, demostrarle el amor que sentía por él. Y Apollo hizo lo mismo.

Uno de los momentos de mayor orgullo para Apollo fue cuando Elle se graduó con una de las mejores notas de la Facultad de Derecho. Fue un momento de gran felicidad, estar sentado allí vitoreándola mientras ella subía al estrado y él sostenía a su hija en el regazo y a su bebé recién nacido en el otro brazo. Estaba muy orgulloso de lo que Elle había conseguido, de lo que había decidido lograr.

En su opinión, Elle era la mejor abogada de la ciudad de Nueva York, siempre defendiendo a mujeres en circunstancias difíciles y a niños que habían sufrido alguna injusticia.

Si alguien le hubiera dicho cuando se casó con Elle que durante la siguiente década la amaría todavía más, le habría contestado que estaba loco. Después de todo, ¿cómo se podía amar a alguien más que en el día de la boda? Pero Apollo había descubierto lo profundamente que podía crecer el amor. Cada año, cada hijo, cada nuevo logro y cada fracaso añadían una textura y una riqueza a lo que sentía por ella que iba mucho más allá de lo que nunca pudo haber imaginado.

En la noche de su décimo aniversario, Elle volvió

a casa del trabajo agotada y con el ceño fruncido, probablemente porque estaba trabajando en un caso complicado.

Apollo la estrechó entre sus brazos sin decir una palabra. Y ella se relajó y se apoyó en su fuerza.

–Me alegro de que hayas llegado –murmuró Apollo.

–Por supuesto. Es el único sitio en el que quiero estar esta noche –alzó la vista para mirarlo y sonrió–. ¿Los niños están bien?

–Creo que Alethea les está leyendo un cuento. Y ha conseguido también que se tomen las verduras en la cena.

Elle se rio.

–Es una buena noticia.

–Y mañana vendrán David y mi madre para llevarse a los niños el fin de semana. Quieren contribuir a que pasemos tiempo solos.

–Muy amable por su parte.

–La verdad es que sí –Apollo le acarició la mejilla con el pulgar–. ¿Te apetece salir esta noche? –observó las ojeras que tenía–. ¿O prefieres quedarte en casa?

–Me encantaría salir. Porque quiero presumir de marido.

–Igual que yo de mujer.

Elle dejó escapar un largo suspiro.

–Llevamos juntos más de una década. Es increíble lo distintos que han sido estos diez años comparados con los anteriores.

–Entonces nos deseábamos el uno al otro pero no nos lo permitíamos.

–Sí. Ahora no entiendo de qué teníamos tanto miedo. A qué estábamos esperando.

–Cuanto más pienso en ello, más creo que estába-

mos esperando al momento adecuado. En el que podríamos ser lo bastante valientes para darnos amor el
uno al otro del modo adecuado. Si te hubiera besado
por primera vez cuando tenía veinte años lo habría
estropeado todo más tarde. No te habría dado el apoyo
que necesitabas en el momento.

Elle asintió lentamente.

–No creo que yo hubiera sido una mujer capaz de
perseguir sus sueños.

–¿Quieres saber un secreto, Elle?

Ella asintió.

–Por supuesto.

–Me gusta todo lo que tenemos. Lo atesoro. Dis-
fruto de mi trabajo. Y estoy orgulloso del tuyo. Pero
mi sueño eres tú.

Elle sonrió y se le llenaron los ojos de lágrimas.

–Oh, Apollo. Tú también eres mi sueño.

Se puso de puntillas y le dio un beso, y fue como la
primera vez. Con Elle siempre parecía la primera vez.

–Tal vez al final no salgamos hoy después de todo
–dijo Apollo.

Ella sonrió con expresión algo maliciosa.

–Sí, tal vez será mejor que nos quedemos aquí.

Bianca

Hacía poco era una simple chica... ahora estaba a punto de entrar en la realeza

Lizzy Mitchell era una chica corriente, pero tenía algo que el príncipe Rico Ceraldi deseaba más que nada en el mundo: era la madre adoptiva del heredero al trono del principado de San Lucenzo.

Quizá no tuviera el poder y la riqueza de los Ceraldi, pero Lizzy estaba dispuesta a hacer prácticamente cualquier cosa para no perder a su hijo. Por eso, cuando Rico le pidió que se casara con él, se dio cuenta de que debía aceptar aquel matrimonio de conveniencia. Rico le había dejado muy claro que ella era demasiado corriente para él. Pero la boda real dio lugar a una transformación que dejó boquiabierto al príncipe...

UN PRÍNCIPE EN SU VIDA
JULIA JAMES

N° 2500

Jazmín

Atracción
prohibida

MARIE FERRARELLA

Entre el trabajo de criar a sus tres hermanos y el de dirigir su empresa, en la agitada vida de Kevin Quintano no había espacio para el amor. Cuando su hermana anunció su inminente boda, Kevin se dirigió a Hades, Alaska, a asegurarse de que llegaba al altar. Por supuesto, no esperaba que a él también le atacara el virus del amor...

June Yearling era irresistible incluso en vaqueros, pero había rechazado a todos los solteros de la ciudad. Después de un pasado tormentoso, había prometido no volver a entregar su corazón a nadie. Pero eso no quería decir que no pudiera compartir con Kevin algunos besos apasionados... ni que él fantaseara con hacerla pasar por el altar.

Él pensaba que no se casaría por nada del mundo... pero entonces apareció ella

N° 10

¡YA EN TU PUNTO DE VENTA!

Bianca

El dinero no sería un obstáculo, pero el precio
de intimar con Libby era mucho más elevado...

Daniil Zverev era el magnate más seductor, implacable y pecaminoso del mundo. Nadie sabría jamás la crueldad y el rechazo que potenciaron su prosperidad, pero Libby Tennent, una hermosa profesora de ballet, estaba conquistándolo y acercándose peligrosamente a la verdad.

La espontánea Libby había desafiado al sombrío ruso desde el momento en el que entró en su despacho. Él no hacía favores, pero sí ayudó a Libby a que montara su negocio. Él, por principio, no mantenía relaciones estables, pero una noche con Libby no era suficiente...

EL PRECIO DEL ORGULLO

CAROL MARINELLI

N° 121

BLYTHE GIFFORD

Un amor sincero

Los ojos de lady Solay se encontraron con los de un hombre de aspecto rudo. Su mirada implacable se posó en ella y, por un instante, olvidó todo lo demás. Pero no debía. No tenía tiempo para sentimientos, cuando dependían tantas cosas de que ella encontrara favor en la Corte.

Lord Justin Lamont no podía apartar la vista de la escandalosa hija ilegítima del rey. Entró con la cabeza alta, como si la

Corte la adorara. A pesar del dolor que adivinaba en sus ojos, Justin ahogó un chispazo de simpatía por ella…

Oculta tras un disfraz

Para vivir la vida de independencia y de estudios que anhelaba, Jane de Weston se vistió de hombre. No podía prever la atracción que después sentiría por su maestro, Duncan, un hombre que despertó en ella sensaciones tan desconocidas como placenteras en su oculto y vulnerable cuerpo de mujer.

Duncan descubrió por accidente lo que se escondía bajo sus ropas, y fue consciente de que debía alejarla de allí… pero al final accedió a guardarle el secreto, porque Jane iluminaba los rincones oscuros de su corazón…

Nº 33

¡YA EN TU PUNTO DE VENTA!